CLIQUE

LISI HARRISON

Título original: *The Clique*

2008, Santillana USA Publishing Company, Inc.
2105 NW 86th Avenue
Miami, FL 33122, USA
www.santillanausa.com

Diseño de la portada:

Dirección editorial: Isabel Mendoza
Traducción: Una Pérez Ruiz
Editores: Elva Schneidman y Norman Duarte

Alfaguara es un sello editorial del **Grupo Santillana**. Éstas son sus sedes:

Argentina, Bolivia, Chile, Colombia, Costa Rica, Ecuador, El Salvador, España, Estados Unidos, Guatemala, México, Panamá, Paraguay, Perú, Puerto Rico, República Dominicana, Uruguay y Venezuela.

Clique
ISBN: 978-1-60396-320-6

Published in the United States of America
Printed in the U.S.A.

15 14 13 12 11 10 09 08 1 2 3 4 5 6 7 8 9 10

A Ken Gottlieb, Shaila Gottlieb y Kevin Harrison
por acompañarme siempre, y por darme las palabras
precisas cuando me quedaba trabada.

La mansión de los Block
En la cocina
10:49 p.m.
31 de agosto

—Massie, deja esa mala cara —le dijo Kendra, su mamá—. Es muy sencillo: no vas a ir.

Massie Block le dio varios golpecitos con el dedo índice a la campanita que colgaba de su pulsera con dijes de oro. Ese tintineo era el único ruido que podía hacer; claro, a menos que quisiera que su exageradamente bien educada mamá la acusara de "interrumpir"; cosa que no deseaba. Lo único que quería era ganarle en esta discusión.

—Pero ya tenemos planes, y sería una *grosería* cancelarlos —dijo Massie—. ¿O no? Porque tú siempre me has dicho que "cumpla con mis compromisos" —añadió Massie haciendo las comillas con los dedos, para hacerle ver a su mamá que sólo estaba siguiendo sus reglas.

Massie se volvió hacia William, su papá, buscando apoyo, pero él siguió tomando su té y leyendo la edición más reciente de la revista *Westchester*.

—Te lo dije hace varias semanas —dijo Kendra, pronunciando despacio y con cuidado cada palabra, en el mismo tono que usaba para hablarle a Inez, su ama de llaves—. Tu papá y el señor Lyons han sido amigos desde la universidad. El señor Lyons se va a mudar con su familia de la Florida a Westchester para trabajar con tu papá. Y mientras encuentran una casa adecuada, van a venir a vivir con nosotros, en la casa de huéspedes. Y es importante que tú, que eres nuestra hija, estés aquí para recibirlos.

—¿Por qué? —Massie entrecerró los ojos—. Son los amigos aprovechados de mi papá, *no los míos.*

Kendra le lanzó una mirada de desesperación a su esposo. William siguió concentrado en la revista.

—Pues pronto serán también tus amigos —dijo Kendra—. Claire también empieza el séptimo grado este martes, así que tendrán mucho de qué hablar.

—Sí, claro, como de la clase de matemáticas, por ejemplo —contestó bruscamente Massie.

—Podrías invitarla a participar en los planes que tengas —sugirió Kendra—. Así no te perderías nada.

—Imposible —Massie sacudió la cabeza—. Reservamos desde hace semanas. No podemos llamar al spa a último momento y agregar a otra persona, así nada más —Massie desvió la mirada—. No podemos y, sobre todo, no queremos —agregó en voz baja.

—Como quieras —dijo Kendra—. Entonces, Inez tendrá listo el almuerzo en el comedor mañana a la 1:15 P.M. No llegues tarde.

Massie salió de la cocina dando zancadas. Su perrita negra, Bean, la siguió conservando una buena distancia de los mortales tacones de tres pulgadas de las sandalias de su ama. Al llegar a la escalera, Massie se agachó para alzarla con una mano.

Normalmente se quitaba los tacones antes de subir para no arruinar el "delicado barniz brillante de la madera"; pero, después de lo que había pasado, decidió dejárselos puestos. Cada marca en los escalones sería "la recompensa" para su mamá por haberle arruinado los planes que tenía con sus tres mejores amigas para el Día del Trabajo.

Cuando llegó al segundo piso, Massie se quitó los zapatos con dos patadas y caminó sobre la suave alfombra directo hasta su cuarto. Y azotó la puerta.

—¡No azotes la puerta! —se oyó la voz de Kendra por el intercomunicador—. Massie miró el blanco altavoz instalado junto a la cama, e hizo una mueca de hastío.

Todo en su habitación era blanco: el sillón de cuero cerca de la ventana panorámica, la alfombra de piel de borrego, las paredes de ladrillo pintadas, la docena de tulipanes frescos y su Mac portátil de pantalla plana. Sus amigas la llamaban "la iSuite". Massie la había diseñado en ese estilo minimalista después de haberse hospedado en la suite presidencial del Mondrian en Los Ángeles. La única nota de color en la enorme habitación del hotel era una manzana verde, colocada como decoración sobre una mesita de mármol blanco. A Massie le había encantado el aspecto tan limpio y ordenado del lugar.

Pero justo hacía pocos días, había leído en una revista de chismes inglesa que el violeta era el color oficial de la realeza, lo cual explicaba por qué había unas sábanas en tono malva de Calvin Klein recién desempacadas sobre su cama. Su plan era buscar más cosas del color de la reina durante sus compras del Día del Trabajo, pero esa opción se había derrumbado.

Massie levantó a Bean en el aire hasta la altura de los ojos.

—Bean, dime que esto no está pasando.

Bean parpadeó.

—Perderme lo de mañana podría retrasar mi avance social para el *resto* del año —dijo Massie.

Bean lamió la delgada muñeca de Massie. Le encantaba el sabor del Chanel No. 19.

—Todas van a llegar con un montón de chistes privados, y yo no podré *captarlos.* Voy a tener que sonreír como buena amiga, mientras todas se ríen y dicen *"tendrías* que haber estado ahí". Massie sacudió la cabeza con fuerza, como si su mente fuera una pantallita magnética como las que usan los niños pequeños para dibujar, en la que, de una pasada, se pudieran borrar los pensamientos desagradables.

—Y sabes que Dylan se va a comprar los delineadores de YSL que *yo* marqué en la revista *Lucky* —dijo—. ¿Y sabes *por qué* está pasando esto? —continuó Massie, sin esperar la reacción de Bean—. Porque tengo que conocer a una chica de Orlando, que se va a quedar a vivir aquí por *un año.* Digo, ¿cuál es la prisa? No se va a ir en un buen rato —Massie hizo una pausa, buscando una explicación razonable—. A menos, claro, que le dé una enfermedad mortal.

Bean aulló.

—Y si se enferma —siguió Massie, con un hondo suspiro—, ¿para qué serviría hacernos amigas?

Massie rompió en pedacitos el itinerario que había elaborado para sus amigas, con los detalles de todo lo que había planeado para su día de embellecimiento. Se paró junto al bote de basura, y dejó que los papelitos cayeran como copos de nieve. Notó que las palabras *bronceado con atomizador, depilado de cejas, aroma* (*terapia* se había perdido al romper la hoja) y *Bergdorf's* habían quedado completas.

Massie se tiró en la cama, y estiró el brazo hacia su mesita de noche. Tomó el celular y presionó "1" en el marcado rápido.

La chica del otro lado contestó al primer timbre.

—Hooola —saludó Alicia.

—Espérate, voy a poner a Dylan en conferencia —dijo Massie.

—Bueno.

Massie marcó "2" y presionó "enviar".

—¿Dyl?

—Sip.

—Espera, voy a marcarle a Kristen.

Massie marcó "3".

—¿Cómo estás, Mass? —dijo Kristen.

—Hola. Alicia y Dylan también están en la llamada.

—¿Qué pasó? —preguntó Kristen. Sonaba nerviosa, como si la fueran a acusar de algo que no había hecho.

—No puedo ir con ustedes mañana —les espetó Massie.

—Sí... claro —dijo Dylan resoplando.

—No, en serio. No lo van a creer, pero tengo —Massie se detuvo y reconsideró lo que diría—. Tengo gripe —dijo con voz gangosa.

—Uf, te oyes muy mal —dijo Kristen.

—Sí, quizá sea mejor que no vayamos —propuso Dylan—. Mejor vamos a tu casa, y te consentimos.

—¿Qué? ¿No ir? —contestó sorprendida Alicia—. Massie, ¿qué tienes *exactamente?* A lo mejor podemos ayudarte.

—Fiebde, dolod de cabeza. Nadiz dapada, ya sapen, do dodmal —Massie añadió un resoplido para mayor efecto.

—Dylan tiene razón. No vamos —dijo Kristen—. No va a ser lo mismo sin ti. ¿Quién me va a dar la mano cuando me depilen las cejas con cera?

—¿Y quién me va a decir si me veo gorda cuando me pruebe algo? —preguntó Dylan.

—El espejo —contestó Alicia.

Kristen respondió con su famosa risa, ronca y grave.

—Massie, por favor, no me dejes sola con estas locas —dijo Dylan en broma.

Massie sonrió aliviada. Querían que fuera con ellas. La *necesitaban.* Y eso, como siempre, era lo verdaderamente importante. Pero también sabía lo rápido que podían cambiar de opinión.

—Vayan, chicas. Pero quiero que me cuenten cada detalle —Massie se olvidó por un momento de su voz de enferma—. Todos y cada uno de los detalles.

La mansión de los Block
En lo alto de la escalera
1:10 p.m.
1 de septiembre

Infortunadamente, los Lyons llegaron justo a tiempo. Cuando sonó el timbre, Massie se agachó junto al barandal del segundo piso para verlos. Sus papás rodeaban a Claire, la hija de los Lyons.

—Claire, ¡te has convertido en toda una belleza! —dijo William Block y, dirigiéndose hacia su esposa, le preguntó—: Kendra, ¿a quién se parece?

Massie se inclinó más para ver mejor, pero el grupo ya se dirigía hacia el comedor.

—¡A Gwyneth Paltrow! —anunció Kendra. A Massie eso le sonó como si su mamá fuera una emocionada participante de un programa de concursos.

—¿Dónde está *tu* preciosa hija? —preguntó una voz masculina, y Massie asumió que era la del señor Lyons.

—Buena pregunta —dijo la mamá de Massie.

Massie se puso de pie y, de puntillas, fue al baño para darle una última mirada a su atuendo de "primera impresión". No tenía intenciones de volverse amiga de Claire, pero de todas maneras le parecía importante mostrarle lo que se iba a perder. Massie se vio de espaldas, y revisó sus pantalones de satén estilo militar para asegurarse de que no se le marcaran los calzones, y examinó la bufanda blanca de Hermès (que llevaba como cinturón, por supuesto), para verificar que el nudo estuviera plano y bien acomodado en la cadera. En su blusa de cachemir blanco no había pelos de Bean, y sus ojos de color ámbar brillaban. Nadie supondría que la noche anterior hubiera estado llorando hasta quedarse dormida.

—Massie, ya llegaron los Lyons —informó su mamá a través del intercomunicador.

—Está bien —contestó Massie al altavoz. Se puso brillo de labios transparente, se arregló el cabello por última vez, y se dirigió hacia el comedor.

—¡Aquí estás! —dijo Judi Lyons con una sonrisa tan amplia que la parte superior de sus regordetas mejillas casi le tocaban los ojos.

—¡Massie! —Jay Lyons extendió los brazos hacia ella, y Massie lo miró como si no comprendiera su intención.

—Hola —contestó Massie, extendiendo la mano derecha como si fuera una reina.

William se acercó rodeando la mesa de madera de roble, y abrazó a su hija.

—Massie, éste es mi viejo amigo Jay —dijo William.

—¡Alto! No tienes que hablar de antigüedades —bromeó Jay.

Todos se rieron a carcajadas, salvo Massie, que le echó un ojo a Claire, y rápidamente desvió la mirada, aunque alcanzó a detectar un overol, unos Keds blancos y cabello lacio y rubio con flequillo. Claire se veía como uno de los niños que acompañan al dinosaurio Barney.

Massie miró luego a la derecha y vio a Todd, el hermano de diez años de Claire, metiendo sus dedos rechonchos en las orejas de Bean.

—Es mi perrita, no un guante de béisbol —gruñó Massie.

—Todd, déjala en paz —dijo Jay con una sonrisa.

—Perdón por lo que hizo mi hermano —dijo Claire con una voz muy amable —. Soy Claire, la normal de la familia —le extendió la mano. Massie se la apretó con tal fuerza que Claire soltó una risita nerviosa, y se retorció tratando de soltarse.

En el antebrazo Claire llevaba numerosas pulseras, obviamente hechas a mano; algunas eran de cuentas de colores y otras de cordoncillos trenzados.

—¿Estás bien? —preguntó Massie, alzando las cejas e inclinando la cabeza hacia un lado, como si no supiera por qué Claire estaba tan alterada.

Kendra dio una palmada. —Muy bien, pues ya podemos pasar a sentarnos. Judi y Jay, a la izquierda de William —explicó. Massie notó que los anillos de diamante de su mamá estaban volteados hacia adentro, lo cual significaba que los Lyons no tenían mucho dinero. Kendra siempre lo hacía cuando no quería que los "menos afortunados" se sintieran incómodos.

—Massie, por qué no te sientas aquí, al lado de Claire —dijo Kendra.

Massie se sentó sin mirarla a los ojos. Bueno sería decirle a su mamá dónde debería sentarse.

En cuanto sirvieron la comida y todos comenzaron a almorzar, Massie sacó su teléfono celular y lo mantuvo debajo de la mesa. Con la mirada al frente, sus pulgares tecleaban un mensaje de texto.

MASSIE: STÁS AHÍ?
ALICIA: SIP

MASSIE: Q HACS?

ALICIA: K LLORA. NO DJA Q SVTLANA LE PONGA CRA N LA OTRA CJA.

MASSIE: QUIERES Q HABLE CON ELLA?

Massie le daba vueltas con el tenedor a un champiñón relleno mientras esperaba la respuesta de Alicia.

ALICIA: YA STÁ BIEN.

El corazón de Massie comenzó a latir más rápido. Podía imaginarlas en el cuartito donde Svetlana hacía depilaciones, rodeando a Kristen, riéndose como locas, y tratando de convencerla de no irse con las cejas disparejas.

Chiste privado número uno.

Massie decidió enviarle un mensaje de texto a Kristen, de todas maneras. Quería ser quien la convenciera de soportar el dolor para que Svetlana pudiera terminar con la cera.

MASSIE: AGUANTA. HAY Q SUFRIR PA SER BONITA ☺

Bajó la mirada por un nanosegundo, sólo para asegurarse de que la carita feliz estuviera en el lugar correcto, antes de apretar la tecla de enviar.

—Massie, nada de teléfonos en la mesa —dijo su mamá.

—Lo siento —mintió Massie.

—¿Por qué no subes con Claire y le enseñas tu cuarto? —sugirió Kendra.

—Bueno —Massie echó una ojeada a su celular, pero, por lo visto, Kristen estaba demasiado ocupada como para responder. Massie suspiró y se mordió el labio.

La mansión de los Block
En el cuarto de Massie
2:25 p.m.
1 de septiembre

—Me dijeron que West Chester es como el Beverly Hills de Nueva York —dijo Claire, mientras se asomaba por la ventana panorámica a la terraza del cuarto de Massie, y admiraba las canchas de tenis, la piscina y la casa de piedra destinada para los huéspedes. Intentaba sonar muy relajada, pero en realidad, nunca había estado en una mansión tan grande.

—¿Qué es West Chester? —preguntó Massie, fingiendo estar confundia—. Ah, claro, ¿te refieres a Westchester?

—Sí, ¿no dije eso? —Claire se alejó de la ventana y miró a Massie, dándole vueltas a sus pulseras.

—No puedo creer que hayas hecho esas pulseritas en el preescolar, y que todavía te queden —dijo Massie—. Tus muñecas deben ser muy delgadas.

—No las hice en preescolar —dijo Claire con tono amable y comprensivo, queriendo evitar que Massie se sintiera tonta por haber dicho algo tan ridículo—. Mis mejores amigas las hicieron y me las dieron de recuerdo ahora que nos mudamos de la Florida —dijo con orgullo—. También me regalaron esto, para que les mande fotos de mi nueva escuela —y sacó una mini cámara plateada del bolsillo del overol—. Y de mis nuevas amigas —enfocó a Massie y le tomó una foto. Massie se movió. Claire revisó la pantalla para ver si tenía que repetirla.

—Ay, salió toda movida —dijo desilusionada.

—No me sorprende —dijo Massie—. Esas cámaras no sirven para nada.

—Oye, ¿de dónde sacaste ese maniquí tan genial? —preguntó Claire, refiriéndose al torso con base de metal que estaba al lado del clóset de Massie.

—Me regalan uno nuevo cada año, para mi cumpleaños —dijo Massie, orgullosa.

—¿Por qué cada año?

—Pues porque voy creciendo —dijo Massie, poniendo los ojos en blanco por un instante.

—¿No piensas que va a cobrar vida en la noche y tratar de matarte? —preguntó Claire, tratando de sonar divertida.

—Nunca —respondió Massie, cortante.

Claire echó una rápida ojeada a su alrededor, buscando otro tema de conversación, y se acercó al tablero de corcho que colgaba sobre el escritorio.

—¿Quiénes son *ellas?* —Claire notó que las chicas en la imagen se veían mucho mayores que sus amigas de la Florida.

—Mis mejores amigas en todo el mundo —dijo Massie—. Somos muy unidas.

—¿Ella es modelo, o algo así? —dijo Claire, apuntando a una atractiva muchacha con radiante cabello oscuro.

—No que yo sepa —dijo Massie—. Es Alicia.

Claire notó el aburrimiento en la voz de Massie, pero siguió viendo fotos de las cuatro: gritando en una montaña rusa, acostadas en bolsas de dormir y vestidas de vaqueras en un Halloween, supuso Claire, porque tenían en la boca chorritos de sangre artificial, y Bean llevaba un sombrero tejano y una estrella de alguacil. La toma de las chicas posando con Santa Claus en un centro comercial la hizo reír.

—No puedo creer que le hayas hecho eso a Santa —dijo Claire, refiriéndose a las orejas de burro que Massie le hacía con los dedos detrás de la cabeza.

Massie no respondió. Estaba muy ocupada revisando su celular por si habían llegado mensajes.

—Parece que se divierten mucho —dijo Claire—. Me muero de ganas de conocerlas.

Massie alzó la mirada, como si estuviera mirando por encima de unos lentes oscuros.

—Estoy segura de que vas a conocer a mucha otra gente con la que preferirías andar.

—Lo dudo —contestó Claire.

—Pues deberías intentarlo —dijo Massie—. Mis amigas y yo tenemos nuestras cosas, planes en marcha, y probablemente te sentirías rara si trataras de participar. ¿Sabes?, porque nosotras nos conocemos desde hace mucho tiempo.

—No te preocupes —dijo Claire, con una sonrisa forzada. Massie ya ni siquiera la miraba.

El teléfono sonó junto a su cama, y Massie corrió hacia él como si hubiera estado esperando una llamada urgente.

—¿Y ahora qué pasa, mamá? —Massie sonaba molesta.

Claire aprovechó para dar una vuelta por la habitación. Las repisas estaban llenas de trofeos y listones de primer premio en equitación. Justo en el centro había un pequeño casco para montar de terciopelo negro, y la foto enmarcada de un poni blanco.

También había una camita deslizable para perro, idéntica a la de Massie, pero en miniatura.

Massie azotó el teléfono inalámbrico en su mesita de noche.

—Ven conmigo, tengo que enseñarte la casa de huéspedes —dijo Massie.

—No hace falta; la puedo ver desde aquí —dijo Claire, señalando hacia la ventana—. No tienes que llevarme.

Massie hizo un gesto señalando el teléfono. —De hecho, sí tengo que llevarte.

Massie abrió el clóset, y Claire pudo ver por lo menos unos cincuenta pares de zapatos, acomodados en repisas especiales. Massie se tocó los labios con el índice y examinó sus opciones. Eligió unas sandalias de Prada anaranjadas con tacón de plataforma, y se las puso.

—¿Por qué te cambias? —preguntó Claire raspándose el barniz de uñas en tono coral—. Solamente vamos al jardín, ¿no?

—Sí, pero mis tacos se arruinan en el césped —contestó mirando los pies de Claire—. Te ofrecería un par de sandalias, pero creo que no te importa si tus tenis se ensucian, ¿verdad? —dijo, señalando los Keds.

Claire no supo qué responder.

—Eso pensé —dijo Massie, haciendo sonar los tacones de sus zapatos al apagar la luz y salir de la habitación.

Claire se quitó con la uña una escama de esmalte rosa del pulgar, y la miró aterrizar en la blanquísima alfombra de Massie. Normalmente la hubiera recogido, pero decidió dejarla pensando en que al cuarto no le vendría mal algo de color.

LA MANSIÓN DE LOS BLOCK
EN LA COCHERA
4:15 P.M.
1 de septiembre

Una hora más tarde, Massie estaba sentada al lado de Isaac, el chofer de la familia, en el mullido asiento de cuero de la Range Rover, en camino hacia los Establos Galwaugh. Massie iba a quemar un poco de la energía invertida en la bienvenida de los Lyons, dando una larga cabalgata en Brownie por un sendero privado.

Por primera vez en el día, Massie se relajó. Con las ventanas abiertas, el viento se sentía bien en la cara.

—No puedo creer que esa familia se esté aprovechando de mi papi —comentó Massie.

—¿Por qué lo dices? —preguntó Isaac.

—¿Por qué no se consiguen su propia casa? Seguro que hay algún albergue de estudiantes por aquí cerca.

Isaac la miró con cara de "*no* es cierto que hayas dicho eso" y sacó el disco de pop almibarado del estéreo. Massie sabía que eso era señal de que iba a decir algo importante.

—Creo que es un buen detalle de tus papás ayudar a sus amistades de hace tanto tiempo. Y no es para siempre —explicó—. Van a vivir con ustedes mientras encuentran una casa adecuada.

—¿Y cuál es el problema en comprar una casa? ¿Son pobres? —y dijo "pobres" en el mismo tono que su mamá usaba para decir "gordo".

—No, pero no todos pueden comprar todo lo que quieren, en el momento en que lo quieren.

Massie pensó que ya había escuchado suficiente. Empujó el disco dentro del estéreo, pero Isaac presionó inmediatamente el botón para volver a sacarlo.

—Claire parece ser muy dulce. ¿No crees? —aventuró.

—Si quisiera a alguien *dulce* siguiéndome todo el día en la escuela, me llevaría a Bean —contestó Massie.

—Pórtate bien, Massie —le dijo Isaac, en un tono como de advertencia.

Massie frunció el ceño, y no volvió a dirigirse a Isaac durante el resto del viaje.

En el preciso instante en que el conocido olor a heno y a estiércol de caballo invadió la camioneta, Massie se sintió más animada, y sonrió para sí misma mientras se dirigían hacia las cuadras.

—Gracias por traerme, Isaac. Te veo en una hora —Massie azotó la portezuela y corrió a saludar a Brownie, su caballo blanco.

—¡Brownie, mira lo que te traje! —dijo Massie poniéndole una bolsa de plástico llena de zanahorias frente a la cara como si fuera hipnotista—. Yo misma las lavé, las pelé y te las corté en diferentes formas —y le mostró una estrella anaranjada antes de dársela.

—¿Te gustó?

Brownie le lamió la mano con su lengua oscura, y Massie lo abrazó.

Le habían regalado a Brownie en su quinto cumpleaños, y juntos habían ganado once listones: ocho premios por salto, dos por trote y uno a la mejor crin.

Massie esperó a que Brownie masticara la última estrella antes de poner el pie en el estribo decorado con pedrería para montarlo.

Le dio un ligero golpecito con su fusta Hermès, y salieron al trote hacia el impecable sendero. El césped a los lados del camino de tierra lucía muy verde, y el lago Hunter resplandecía a corta distancia. Massie respiró hondo. El aire olía a limpio, y las cuadras estaban silenciosas, como si no hubiera ni un alma en millas a la redonda.

Era hora de apresurar el paso. Le dio tres golpecitos a Brownie y se lanzaron a galope. Massie podía sentir que sus pechos, que recientemente habían logrado llenar copas A, estaban en su lugar y rebotaban, y le encantó sentirlos así.

—Brownie, ¿ya te conté que voy a entrar a séptimo grado usando brasier?

No le importaba que Brownie no entendiera sus palabras. El caballo sabía escuchar; era mejor que sus amigas para ello, y casi tan bueno como Bean.

—Eso es algo en lo que Claire no nos podrá igualar, por mucho que mi mamá me presione. Está más plana que Kristen.

Su "conversación" con Brownie quedó interrumpida cuando se escuchó la voz de un extraño, que gritaba algo que Massie no entendió.

—¡Dije que vayas hacia tu *izquierda!* —repitió.

Se volvió hacia él, y gritó al darse cuenta de lo cerca que el caballo del muchacho estaba de Brownie. Estaba a punto de caer al barranco, no muy hondo, hacia el cual miraba el sendero. Ella lo llamaba "el tragadero", porque le recordaba el final de una pista de boliche. Pero si caía en él, a la velocidad que llevaba, bien podía llamarlo "la tumba".

El caballo negro se le adelantó, y sus cascos hacían tal ruido que ahogaban los gritos de Massie. Brownie estaba tan descontrolado, que se detuvo de repente y casi la lanza por los aires. Massie jaló las riendas con fuerza, hasta que el caballo se detuvo.

—¡Dios mío! —exclamó en cuanto hubo recobrado el aliento—. Brownie, ¿estás bien?

Sintió al caballo temblando bajo las piernas. Una nube de polvo envolvió al misterioso jinete y su caballo, que continuaron su camino.

—¿Disculpa? —trató de gritar Massie, pero acabó oyéndose como una pregunta.

Massie lo intentó de nuevo. —¡OYE, BRAVEHEART!

Pero para entonces, él ya no la podía oír y su figura se perdía a lo lejos.

—Bueno, pues no ganamos todos esos premios por nada, ¿verdad, Brownie? —Massie le dio cuatro golpecitos con la fusta, y Brownie salió disparado.

Al ver que Braveheart se dirigía hacia el lago, tomó el atajo que atravesaba el bosque para esperarlo allí cuando él llegara.

—Nadie nos asusta, ¿verdad, Brownie? —y, con el aire azotándole la cara, siguió adelante.

El cabello se le pegaba al brillo de los labios, pero no se detuvo a arreglárselo. Brownie saltaba troncos caídos y charcos hasta que llegaron al lago, tan rápido, que Brownie ya estaba tomando agua cuando Braveheart los alcanzó. Desde lejos, Massie notó lo sorprendido que estaba de que le hubiera ganado. Soltó las riendas, y alzó las manos como si fuera un forajido que se rindiera.

El corazón de Massie latía desbocado.

—Brownie, ¿qué tal si este tipo es un bandido desalmado que se escapó de la cárcel? —susurró sin bajar la mirada, y tomó su celular, por si hacía falta marcar el 911.

Braveheart se acercó. Tenía el cabello rubio y lacio, y brazos bronceados y musculosos, como alguien que no va al gimnasio sino que hace trabajos físicos. Cuando se acercó más, Massie pudo ver que sus ojos eran de un azul profundo. Era el bandido desalmado más guapo que había visto en su vida, pese a que iba vestido con unos simples pantalones de mezclilla enlodados y una arrugada camiseta blanca. Antes de acercarse más a ella, Massie trató de quitarse el cabello de los labios.

—Estás en un sendero privado —dijo Massie, con voz autoritaria.

—Pues ahora no parece muy privado, que digamos —contestó el forajido.

—Lo sería, si tú te fueras.

Massie estaba deslumbrada por la sonrisa de anuncio de pasta dental del muchacho, y al instante se arrepintió de haber lanzado esas palabras, especialmente cuando se imaginó lo bien que se verían juntos en el baile de otoño de la OCD.

—¿Así tratas a un chico que acaba de regresar a la ciudad?

—Dime, ¿por qué crimen estuviste tras las rejas? —preguntó Massie.

—Por montar con imprudencia —le contestó con otra gran sonrisa—. En realidad, me mandaron a un internado en Londres. Pero mi papá hizo que regresara cuando descubrió que andaba parrandeando demasiado —se encogió de hombros—. Supongo que espera que me la pase pésimo este primer año en la Academia Briarwood.

Massie quería preguntarle por qué lo habían enviado al internado, pero no quiso parecer demasiado ansiosa, demasiado interesada en él.

Se odió por no haberse puesto sus pantalones de montar más favorecedores. Recordaba haber leído en *Teen Vogue*, "siempre vístete y arréglate muy bien, porque nunca sabes con quién te vas a encontrar".

Un gol para la revista, cero para Massie.

Se inclinó hacia adelante y acarició cariñosamente la crin azabache de la yegua del extraño.

—Se llama Tricky —dijo él—. Es mi confidente.

—¿Le hablas a tu yegua? ¿No se te hace un poco raro?

—Para nada. Me llamo Chris Abeley —y alzó la mano para saludarla al estilo indio, pero con su mejor sonrisa de vaquero.

—Yo soy Massie Block —dijo, pasando un mechón de sedoso cabello castaño detrás de la oreja y sonriendo con timidez.

—Encantado, Massie. Y ahora sí, saldré de tu camino para que siga siendo tan privado como siempre —dijo Chris.

—No te preocupes. Puedes quedarte... si quieres —Massie trató de sonar de lo más indiferente.

—¿Y arriesgarme a otra persecución? No, gracias. Regresaré el próximo sábado, cuando este sendero esté abierto al público. Tal vez podamos volver a vernos. ¿Qué te parece? —le dijo con un guiño.

—Me parece bien —fue todo lo que pudo contestar Massie.

—Entonces, ¿es una cita? —preguntó él, y Massie sintió que su cuerpo se llenaba de una nueva energía. Chris salió al galope antes de que pudiera responderle.

La mansión de los Block
En el cuarto de Massie
9:40 p.m.
1 de septiembre

Ya casi era hora de dormir.

Massie estaba en su sillón blanco, en pantaloncitos cortos y una *cami* de algodón. El aroma de vainilla de una vela le daba calidez a la atmósfera. Estaba cepillando a Bean, que se dejaba encantada, enroscada a su lado. Apagó la TV al oír que tocaban a la puerta.

—¿Podemos pasar? —preguntó su papá.

—Claro.

Sus papás entraron y se sentaron en la cama.

—¿Estás lista para regresar a la escuela mañana? —le preguntó—William.

Massie señaló la ropa preparada en su maniquí.

—Sip.

Era una mini violeta de Moschino, una camiseta gris de corte suelto y escote amplio, y sandalias plateadas de Jimmy Choo. Y, aunque al parecer habría una temperatura de unos 78 grados al día siguiente, su saco de mezclilla era obligatorio para darle el toque final al conjunto.

—Al final, ¿tuviste un buen día? —preguntó Kendra.

—Sí, estuvo bien.

—¡Qué bueno! —dijo su mamá, complacida—. Isaac estará al volante a las 7:45 a.m. para llevarte a la escuela, así que te voy a despertar a las siete en punto, ¿te parece bien?

—Bueno —dijo Massie, aliviada al ver que no habían mencionado a Claire, y esperaba que así siguieran.

—¿Y qué te parecieron los Lyons? —preguntó William—. Claire es genial, ¿no crees?

"¡Sólo eso me faltaba!", pensó Massie.

—No puedo creer que fueras tan amigo de Jay —le dijo a su papá—. Ustedes son tan distintos...

La sonrisa de su papá se borró, y arrugó la frente.

—Es como si tú fueras Donald Trump, y él, el Pato Donald —dijo Massie.

—Dales una oportunidad, Massie. Hazlo por mí —le pidió su papá.

—Quizá Massie cambie de opinión cuando abra esto —dijo, entregándole un paquete envuelto para regalo—. Te lo trajeron de la Florida.

Massie se levantó para tomar el regalo. Le quitó el papel de la envoltura con cuidado, como si algo fuera a saltar de la caja. Al destaparla vio un pequeño micrófono plateado. Tomándolo con la punta de los dedos lo examinó a la luz, como un paleontólogo hubiera revisado un pequeño fósil.

—Es para colgarlo en tu pulsera de dijes —dijo Kendra con una gran sonrisa—. Qué amables, ¿no?

—¿Por qué un *micrófono?* —preguntó Massie.

—Porque tú decías que querías ser una cantante famosa —dijo Kendra.

—A los seis años —dijo Massie, poniendo los ojos en blanco.

—La intención es lo que cuenta, hija —dijo William—. Póntelo. Creo que quedaría bien entre el zapato y la Torre Eiffel.

—No puedo usarlo, es de plata. Y mezclar oro con plata es de mal gusto —replicó Massie.

Pero era demasiado tarde. Hábilmente Kendra desabrochó la pulsera, como si trabajara detrás del mostrador en Tiffany & Co. Colgó el micrófono (que Massie veía más parecido a una paleta de caramelo) y volvió a asegurar la pulsera en la muñeca de su hija.

—Se ve muy bien. A los Lyons les dará gusto vértelo puesto —afirmó William.

Y ambos le dieron un besito de buenas noches.

—Ahora que regresas a la escuela, ¿vamos a retomar nuestras caminatas nocturnas? —preguntó William mirando a la perrita.

—A las ocho y cuarto, ¿verdad, Bean? —Massie la levantó para que quedara frente a su cara.

Bean alzó la cabeza y la miró.

—Dice que sí —explicó Massie—. Buenas noches.

Sus papás cerraron la puerta con suavidad, como si no quisieran despertar a un bebé.

Massie observó la totalmente inadecuada adición que colgaba de su joya favorita. Y de pronto, la pulsera se sintió casi como un grillete. Se la quitó y la puso en la mesita de noche. Lo único que le quedaba por hacer antes de acostarse era escribir su reporte diario en su PalmPilot.

Siempre había llevado un registro de su vida, pero no le parecía necesario gastar palabras en algo como un diario, especialmente porque los diarios suelen caer en manos enemigas. Por eso, decidió que cuando algo importante le sucediera lo resumiría en una sencilla lista.

ESTADO ACTUAL DEL REINO

IN	OUT
CHRIS	CLAIRE
SENDEROS PÚBLICOS	SENDEROS PRIVADOS
CABALLOS	LYONS

Cuando Massie terminó de escribir, cargó a Bean en el regazo.

—Sólo faltan cinco noches para ver a Chris Abeley de nuevo —dijo.

Se cubrió con su edredón de plumas, tratando de aquietar la mente y descansar para verse bien en el primer día de clases. Presionó un botón en el panel de control al lado de la cama, y todas las luces de la habitación se apagaron. Sólo faltaban diez horas para volver a ver a sus amigas.

La casa de huéspedes
En el cuarto de Claire
1:03 a.m.
2 de septiembre

A menos de cien yardas de distancia, Claire daba vueltas en la cama sin poder dormir. Había creído que leer el manual de la Escuela Octavian Country Day, u OCD, como la llamaban, la ayudaría a relajarse y sentirse más cómoda para su primer día de clases, pero el efecto había sido el contrario. Se dio cuenta de lo poco que su vida en Orlando la había preparado para lo que se venía.

Varias frases que había leído en el folleto de la OCD, impreso en papel satinado, la perseguían como una pegajosa canción pop. Por ejemplo: *La moda es una de las bellas artes y un auténtico medio de expresión personal. Por lo tanto, la OCD se enorgullece de ser una escuela privada sin uniformes. Se da por sentado que las estudiantes tomarán muy en serio su estilo y arreglo personal.*

Claire dio la vuelta a la almohada para refrescarla, y trató de concentrarse en su respiración: inhalar por la nariz, exhalar por la boca. Pero la imagen de las poderosas egresadas de la escuela hacía palpitar rápidamente su corazón. *Trece directores de empresas en la lista de* Fortune 500, *siete medallistas de oro de las olimpiadas, cuatro ganadoras del Premio Pulitzer, tres ganadoras del Oscar, dos senadoras y una secretaria de estado.* No tenía ni idea de lo que esa persona *hacía,* y rogó no estar en el mismo grupo con alguna futura secretaria de estado, porque no tendrían nada de qué hablar.

Claire se quitó las cobijas de encima y saltó de la cama. Tomó su esponjosa almohada favorita y bajó al cuarto de su hermano. Los sonidos de la casa le parecían extraños, y los rechinidos del piso de madera la alteraban.

Todd dormía profundamente de espalda, con el cuerpo atravesado en la cama matrimonial. A Claire le pareció gracioso verlo tapado con las cobijas tan coquetas, como de abuelita, que eran parte de la decoración de la casa, pero estaba muy intranquila como para reírse. Lo empujó con cuidado hacia un lado de la cama, y se acostó a su lado. Su respiración regular la hizo sentirse menos sola.

LA CASA DE HUÉSPEDES
EN LA COCINA
7:20 A.M.
2 de septiembre

Claire sentía un inmenso nudo en la garganta; tan grande, que apenas podía tragar los panqueques del desayuno. La mesa ovalada de madera para desayunar se sentía enorme y fría, como todo lo que hasta ese momento había visto en Westchester. Todd se sentó frente a ella, pero parecía estar a kilómetros de distancia.

En Orlando desayunaban en una mesita cuadrada de formica. Cada uno tenía su lado asignado, y era muy acogedora. Esta mesa, en cambio, ni siquiera *tenía* lados.

La cocina estaba llena de cajas sin desempacar. Lo único que le resultaba familiar era la música de la radio, que era la versión estilo Westchester de la estación de FM de música ligera favorita de su mamá, que insistía en escuchar cuando cocinaba.

—¿No podemos apagarlo? Esa música está muy depre, mamá —dijo Claire.

—Cuando vivas en tu propia casa, puedes poner la música que tú quieras —contestó Judi.

—Pues ésta no es exactamente *tu* casa —replicó Claire, sorprendiéndose incluso a sí misma.

Todd se la quedó viendo, pero estaba tan asombrado por el comentario, que no acababa de sacar la mano de la caja de

Raisin Bran de la que se estaba sirviendo.

—Claire, ¿qué te pasa? —preguntó Judi.

—Nada —Claire hizo remolinos con el tenedor en el plato, y escribió *SOS* una y otra vez en el sirope de arce.

—Entonces, ¿por qué te metiste a mi cuarto a medianoche? —la molestó Todd.

—Porque había una araña en mi cama.

—Pues parece que en la mía se metió un *cangrejo*— Todd tomó algo diminuto, y se lo arrojó a Claire. Rebotó contra su mejilla y aterrizó en el piso.

—¡Puaj! ¿Qué era eso? —dijo Claire con cara de asco.

—Municiones —dijo Todd, apuntando a la caja de cereal—. Las pasitas son excelentes para arrojarlas a los compañeros en la escuela —explicó señalando el bolsillo lateral de sus pantalones de estilo carpintero, y Claire supo que eso significaba que ahí había más proyectiles listos para el lanzamiento.

—Seguro vas a ser de los más populares —dijo Claire.

—Gracias —replicó Todd con una sonrisa orgullosa, sin pescar la ironía—. ¿Quieres algunas? Quizá le puedas arrojar algunas a Massie.

—¿Por qué a ella? —preguntó Claire.

—Ayer, cuando estaban en su cuarto me quedé oyendo detrás de la puerta —dijo, y se levantó para imitar con gestos a Massie, aunque en realidad sonaba como una viejecita enojona: "*Mis amigas y yo tenemos nuestras cosas, planes en marcha, y probablemente te sentirías rara si trataras de participar. ¿Sabes?, porque nosotras nos conocemos desde hace mucho tiempo*".

Claire se ruborizó. No podía creer que su hermano menor hubiera escuchado cómo la humillaban de esa manera.

—Todd, ve a lavarte los dientes. El autobús llegará en cinco minutos —dijo Judi—. Ya hablaremos cuando regreses.

Todd salió corriendo de la cocina, y subió los escalones de dos en dos.

Claire tiró la sobra del plato a la basura y lo puso en el fregadero. Le echó un ojo a su reloj rosa G-Force. Eran las 7:55 A.M.

En Orlando, Sarah y Sari probablemente ya irían en el autobús escolar por Tuscawilla Road, intercambiando historias sobre los nuevos trucos acuáticos que aprendieron en el verano. Alguna estudiante nueva tal vez gritaría, porque Bobby Dennet le habría escondido un sapo en la mochila, o algo así. Y, en medio de la histeria, Greasy Mitch gritaría: "Cállense ya, o manejo directo a los pantanos para que se los coman los cocodrilos". Claire habría dado lo que fuera por estar ahí.

—Claire, te ves muy bien con esa ropa—dijo Judi.

—Gracias —dijo Claire—. Pero, ¿crees que estoy a la moda?

—Seguro, los jeans blancos de Gap son clásicos. Y tus nuevos tenis son adorables.

Claire se fijó en sus Keds de plataforma en azul marino. Todas sus amigas en la Florida llevaban los mismos.

—Entiendo que estés algo nerviosa porque entras a una nueva escuela, pero dale una oportunidad a este lugar —aconsejó Judi—. Y no olvides que tienes a Massie de tu parte.

—Eso crees —dijo Claire cortante—. Y salió de la cocina antes de que su mamá pudiera preguntarle qué había querido decir con eso.

—Isaac dejó un mensaje diciendo que debes estar afuera a las ocho en punto, así que apúrate —dijo Judi—. No se te olviden tus bocadillos —y le entregó una lonchera de las Chicas

Superpoderosas. Claire sacó el sándwich de pavo, las crujientes papitas y las gomitas de postre, los puso en la mochila, y dejó la lonchera en la mesa del recibidor. Si las demás chicas actuaban como si fueran más grandes, como Massie, Claire sabía que iban a pensar que la lonchera era para niñas de kindergarten a sexto grado, pero *no* de séptimo.

Claire notó que su mamá la veía con preocupación.

—Oye, linda, ¿cómo te apellidas? —preguntó Judi con una sonrisita.

—Lyons, como los leones —dijo Claire.

—¿Y qué hacen los leones? —la animó.

—Rugen.

—No te oigo.

—¡ROARRR! —rugió Claire. Pero la vieja rutina, que se refería a su apellido y al rey de la selva, se sentía anticuada e infantil en esta nueva casa.

—Así está mejor —dijo Judi. Besó a Claire en la frente y le dio un empujoncito hacia la puerta. Al alejarse, Claire sintió que algo le golpeó la nuca.

—¿Segura que no quieres algunas pasas? —gritó Todd—. No duelen.

—Sí te van a doler si me siento en tu pecho y te las meto en la nariz a la fuerza —exclamó Claire.

Claire deseó que Massie la hubiera escuchado, quizá así la impresionaría.

Salió de la casa y respiró hondo.

El olor del césped recién cortado y de la humedad hicieron que recordara su casa de Orlando. Se esponjó el flequillo con los dedos, con la esperanza de que quedara parejo y las puntas cayeran con gracia, no como un manojo de palillos chinos. Sacó del bolsillo un brillo de labios con aroma de uva, y se lo puso.

Sabía que tendría unos veinte minutos a solas con Massie en la camioneta, y quería que todo fuera perfecto.

Isaac la saludó con la mano al verla cruzar el jardín. Estaba encerando la Range Rover plateada de los Block. Cuando Claire llegó, se guardó en el bolsillo trasero el trapo que estaba usando para pulir, y le abrió la puerta.

—Buenos días, Claire —dijo con una sonrisa—. Bienvenida a bordo.

—Gracias, Isaac —sonrió a su vez y respiró hondo mientras se decía para sus adentros: "Hasta ahorita, todo bien".

Claire se deslizó por el asiento de cuero negro, tan reluciente como el exterior de la camioneta. Se acomodó mirando al frente, pero en lugar del tablero de instrumentos había una segunda fila de asientos. Se le antojó estirar las piernas y poner los pies en los cojines, pero no quiso que Isaac pensara que era mal educada. Decidió esperar y ver si Massie lo hacía primero.

Luego de echar una ojeada, Claire se sintió como si estuviera en una limusina y no en una camioneta. Había un minibar con puerta de vidrio lleno con refrescos de dieta, agua San Pellegrino, agua vitaminada Glaceau y un recipiente con moras frescas. También había una TV en forma de cubo, colgada del techo como una bola de espejos de discoteca. Tenía pantallas en cada lado para que todos pudieran verla. Las pequeñas bocinas negras en cada esquina fueron la confirmación de que el trayecto a la escuela sería todo, menos aburrido. Estaba tan emocionada que, por un minuto, se le olvidaron los nervios, pero recordó su ansiedad en cuanto vio a Massie acercarse a la camioneta.

Las ventanas polarizadas le permitieron ver todos sus movimientos, sin que Massie se diera cuenta.

Massie caminaba con decisión, y su mirada se dirigía al frente, aunque no parecía ver nada en especial.

Claire se movió el flequillo hacia un lado de la frente para que no se humedeciera con el sudor. Envidió el cabello perfecto de Massie, brillante, oscuro y a los hombros. Ese tipo de cabello que siempre se ve bien, incluso al despertar.

Isaac abrió la puerta y una oleada de calor invadió la camioneta. Lo primero que se vio fue un pie en una femenina sandalia de tiras, con las uñas pintadas de rojo. Y luego, un perfume dulce y fresco llegó hasta Claire. Un brazo delgado, que parecía a punto de quebrarse con el peso de una pulsera llena de dijes, echó un saco de mezclilla en el asiento trasero. Cuando aterrizó en su regazo, Claire lo puso rápidamente a su lado. Finalmente, Massie subió y se deslizó en el asiento hasta chocar con la rodilla de Claire.

—¡Ay, me asustaste! ¿Qué haces aquí? —dijo Massie.

—¿De qué hablas? Tu mamá dijo que debería ir contigo a la escuela —y recordó cómo la había saludado Isaac. Parecía estar enterado de que iban a ir juntas—. ¿No te dijo?

—Lo siento —dijo Massie apartándose—. Seguramente se me olvidó.

—Vaya —dijo Claire.

Isaac encendió el motor, y ambas chicas estudiaron cada uno de sus movimientos, como si nunca hubieran visto cómo se maneja un automóvil. No sabían qué otra cosa mirar.

—Bueno, sin duda esto es muchísimo mejor que ir en el autobús de la escuela —dijo Claire.

—No sabría decirte, pero te creo —replicó Massie, mirando la pantalla de su celular—. Claire, ¿no te importa pasarte al fondo, verdad? Tenemos que pasar por Alicia, Kristen y Dylan, y no quisiera que quedaran apretujadas aquí —Massie la miró directamente a los ojos—. Te garantizo que, de todas maneras, seguirá siendo "muchísimo mejor que ir en el autobús de la escuela" —la imitó con agudeza y a la perfección.

—Pensé que sólo íbamos a ser nosotras dos —dijo Claire.

—¿Y qué te hizo pensar *eso?* —preguntó Massie.

Claire estaba demasiado sorprendida para contestar. Simplemente se pasó al asiento trasero, que probablemente fuera para transportar compras o a la mascota. En un segundo se dio cuenta de que desde ahí no podía ver bien la TV, ni tenía acceso al refrigerador.

Después de unos minutos, la Range Rover se detuvo. Para mayor confusión, Claire no podía ver más que unos enormes arbustos detrás de un alto portón de hierro forjado. Se acercó más a la ventanilla para tratar de distinguir qué era lo que necesitaba tanta protección, pero lo único que pudo ver fue una estatua de una mujer desnuda y una fuente de mármol.

Claire rebuscó en su mochila y sacó su minicámara. Tomó una foto del portón y otra de un guardia de seguridad.

—Claire, por favor —dijo Massie, sin voltear a verla—. Esto no es Epcot.

Su nombre sonó extraño, al pronunciarlo Massie con afectación.

—Si los guardias se dan cuenta de que estás tomando fotos

de la casa, te van a quitar la cámara y a interrogar por una semana —la advirtió Massie.

—Perdón, es que nunca había visto una casa así...

—Pues no tienes que anunciarlo a gritos —aconsejó Massie—. Así son las casas de todos por aquí; más vale que te acostumbres.

Finalmente, una chica de cabello oscuro salió y caminó con toda calma hasta la camioneta. No parecía importarle el hecho de que la estuvieran esperando, y cuando Claire la vio de cerca, entendió por qué.

Alicia era la chica más bonita que había visto en su vida. De esas bellezas con las que nadie se enoja, porque nadie quiere verla triste. Sus ojos café oscuro centelleaban, su piel era de un dorado parejo y satinado, y sus labios eran carnosos y de un rojo cereza.

—Se puso Ralph Lauren vintage, y trae el nuevo bolso tipo mensajero de Prada —dijo Massie.

—¿Qué? —preguntó Claire, que no tenía idea de qué hablaba Massie—. ¿Qué? —preguntó de nuevo.

—Bien, llegamos por ti en cinco minutos. Adiós —dijo Massie al teléfono, cerrándolo y arrojándolo en un portavasos.

Claire se ruborizó al darse cuenta de que Massie no hablaba con ella.

Isaac abrió la puerta, y Alicia Rivera se sentó junto a Massie.

—Hoooola —dijo Massie, abrazándola.

Alicia la miró detenidamente.

—Nena, no parece que hayas estado enferma. ¡Te ves eeespec-ta-cu-lar! —soltó Alicia.

—Pues espérate a mañana —contestó Massie.

—¿Por qué? —preguntó Alicia con una sonrisa pícara.

—¡Porque cada día me pongo más guapa! —gritaron al mismo tiempo, riéndose a carcajadas y chocando las manos en alto. Incluso Claire se rió.

Alicia volteó para localizar el origen de esa tercera risa y preguntó: —¿Quién viene en el asiento extra?

—Le estamos dando un aventón, sólo por hoy. Su familia se está quedando en nuestra casa de huéspedes, hasta que puedan pagar por una casa propia —explicó Massie.

—Hola, soy Claire —dijo, tratando de ignorar el sarcasmo del comentario de Massie.

—Vaya —dijo Alicia.

Claire abrió su mochila, y sacó una bolsa llena de gusanos y gomitas ácidas.

—¿Quieren? —preguntó, usando los dientes para desatar la bolsa de plástico en la que los había puesto después de dejar su lonchera—. Me encantan; los como todo el día.

—Dejé de comer gomitas al mismo tiempo que dejé el biberón —replicó Massie.

—Sí, y yo nunca las he comido —dijo Alicia.

Claire devolvió la bolsa a su mochila, y trató de no pensar en el antojo que tenía de comerlas. Apoyó la cabeza en la ventanilla, y comenzó a contar los árboles que dejaban atrás.

La camioneta se detuvo frente a una casa blanca con techo de dos aguas, situada en lo alto de una pequeña colina. Parecía más una iglesia que una casa particular. Esta vez Claire se las arregló para tomar una foto de la mansión sin ser detectada por los de seguridad, o peor, por Massie.

Dylan Marvil estaba sentada en los escalones de la entrada

a su casa, leyendo *US Weekly*, y comiendo una barrita dietética. Mechones de su abundante cabellera pelirroja volaban sobre el pálido rostro, y Dylan luchaba por apartarlos de la boca para poder comer. Cuando vio la camioneta, metió la revista en la mochila Louis Vuitton y corrió hacia ella.

Dylan era al menos dos pulgadas más alta y ancha que las otras dos chicas. A Claire le pareció que lucía como una campesina que hubiera crecido ordeñando vacas y batiendo mantequilla en una granja.

La entrada de Dylan a la camioneta fue menos elegante que la de Alicia. La correa de la mochila se enredó en la manija de la portezuela, y el zapato izquierdo sin talón se le salió y cayó debajo de la camioneta.

—Te extrañamos mucho ayer —dijo al abrazar a Massie—. ¿Cómo sigues?

Massie señaló con la cabeza el asiento trasero. Era la segunda ocasión en que miraba a Claire en toda la mañana.

—Mejor —dijo Massie—. ¿Qué te compraste?

—No mucho. Nada más tres pantalones de mezclilla, un suéter de cachemir que ni siquiera estoy segura de que me guste, y un par de vestidos de Calvin Klein para la temporada de Bar Mitzvah—. Sacó un cepillo de la mochila y comenzó a peinarse el cabello.

—Deberías haberla visto tratando de caminar con Manolos de cinco pulgadas, dijo Alicia—. Temblaba toda, como si fuera un terremoto ambulante.

Dylan se rió a carcajadas.

Massie abrió el minibar. Parecía tan aburrida por su contenido como por lo que sus amigas contaban.

—Calla —replicó Dylan—. Al menos a mí no me manoseó la señora de los brasieres.

Alicia se quedó mirando a Dylan con los ojos muy abiertos, más divertida que sorprendida. —Quedamos en que no se lo ibas a decir a nadie, Dylan.

—Supongo que *Massie* no estaba incluida en ese "nadie" —contestó Dylan—. Massie, ¿no te parece que esto vale al menos dos puntos de chisme?

—Perdón —dijo Massie—. No estaba oyendo.

Claire notó, por el repentino cambio de humor en Massie, que no le gustaba sentirse aislada, como si se lo tomara muy a pecho cuando la gente se divertía sin ella.

—¿Y no te compraste ningún cosmético? —añadió Alicia.

Dylan respondió con una expresión en el rostro que gritaba "gracias, por nada", tan claramente que Claire la vio desde el asiento trasero.

—Pues sí, me compré el plumón delineador para labios de YSL —confesó Dylan.

—Oh, ¿como el que yo dije que quería? —dijo Massie, indiferente—. Ten cuidado. Leí que puede causar herpes labial.

—¡No puede ser! ¿Dónde lo leíste? —dijo Dylan con un dejo de temor.

—Creo que en *YM* —dijo Massie.

Dylan trató de ver su reflejo en el reverso del cepillo plateado, y presionó la lengua contra el interior del labio superior, para mirarse con más detalle.

—No veo nada —dijo Dylan.

—Huele a comida de avión. ¿Alguien más detecta el olor? —preguntó Massie.

—Soy yo —dijo Dylan—. Traigo un almuerzo de *The Zone* en la mochila.

—¿Cuándo empezaste con la dieta de *The Zone*? —preguntó Alicia, al parecer, auténticamente interesada.

—Hoy. Mi mamá y mis hermanas también la están haciendo. Todas queremos bajar quince libras para Halloween —respondió Dylan.

—Pues el puro olor evitará que comas —dijo Massie.

—Vaya que sí —agregó Alicia.

La última parada antes de llegar a la escuela fue en el Montdor para recoger a Kristen, que esperaba sentada, armando un rompecabezas en el recibidor suavemente iluminado del lujoso edificio. Su largo cabello de un rubio ceniza le cubría la cara. Isaac tuvo que hacer sonar la bocina dos veces antes de que finalmente se diera cuenta, y empujara con el cuerpo la pesada puerta giratoria para salir.

Kristen Gregory era una de esas personas que rebotan al caminar. Su pequeño cuerpo era puro músculo, como el de Claire. Finalmente, alguien con algo en común. Claire pensó que Kristen era la que mejor le caía de todas, hasta el momento. Como las otras, estaba vestida de pies a cabeza con prendas de diseñadores, pero eran piezas cómodas y relajadas: tenis anaranjados de Puma, pantalón de gimnasia de terciopelo color chocolate, y sudadera con capucha haciendo juego, que llevaba arremangada.

—Hooola, chicas —dijo al entrar de un salto y abrazar a sus amigas—. Te extrañamos mucho ayer, Mass.

Cuando la Range Rover ya había arrancado, se quitó el conjunto de terciopelo para revelar una minifalda de mezclilla y una camiseta ombliguera.

—No puede ser —dijo Massie, al verla luchar con la ropa—. ¿Cuándo tu mamá te va a dejar vestirte como quieras?

—Ay, por-fa-vor, yo dejé de preguntarme eso hace mil años. A estas alturas, es mucho más fácil para mí llevar una doble vida —dijo Kristen, metiendo el conjunto de terciopelo bajo el asiento.

—Hay que darle a Massie su regalín —dijo Alicia buscando dentro de su inmenso bolso de Prada.

—Un momento. Antes tengo dos preguntas —dijo Kristen—. Una, ¿por qué la camioneta huele a American Airlines? Y dos, ¿quién viene allá atrás?

Dylan miró por encima del hombro, y gritó con todas sus fuerzas al ver a Claire.

—Dios mío, ¿quién es *ésa?* —e hizo una pausa para recuperar el aliento—. Massie, ¿ha estado aquí todo el tiempo? —preguntó Dylan.

Massie puso los ojos en blanco, y asintió.

—Se llama Claire. Su familia está viviendo en la casa de huéspedes de Massie hasta que su papá gane suficiente dinero para comprar una casa propia. Está en nuestro salón en la OCD —explicó Alicia con una sonrisa orgullosa.

Claire notó, por la forma en que se irguió y alzó la voz al explicar la "situación" de su familia, que a Alicia le encantaba haber sido la primera a quien Massie recogiera esa mañana; así había sido la primera en actualizar la información, y eso parecía importarle mucho.

Kristen extendió la mano hacia el asiento trasero, como si la saludara.

—Perdón por el saludo virtual, pero no alcanzo hasta allá atrás. Soy Kristen.

Claire también extendió la mano para corresponder el saludo, pero para entonces, Kristen les dedicaba toda su atención a las otras tres chicas.

—No puedo creer que haya estado ahí sentada atrás todo el camino —murmuró Dylan, y comenzó de nuevo a cepillarse el cabello.

Claire veía cómo hebras de cabello rojo aterrizaban en la espalda del Izod verde lima.

KRISTEN: ¿NOS CAE BIEN?
MASSIE: 👎

Massie suspiró y estiró el brazo a lo largo del respaldo del asiento, como cuando un chico trata de llegar a algo con la chica que invitó al cine. Obviamente, Massie quería que Claire viera la pantalla de su diminuto celular. Y lo logró. Cuando Claire vio esa respuesta, la sangre le hirvió y se puso rígida.

Entonces buscó la bolsa de gomitas, y le hizo un agujero en un lado para que no la vieran luchando contra el nudo. Sacó dos gusanos de goma, y los ocultó hasta estar segura de que nadie se fijaba en ella. Entonces tosió y se los metió en la boca. Los gusanos de goma sabían a hogar.

—Bueno, ha llegado la hora de enseñarle a Massie lo que le compramos ayer —dijo Kristen—. Es un regalito para que te sientas mejor, de parte de todas.

Alicia sacó de su bolso un paquete rectangular envuelto en papel de seda blanco, y se lo entregó a Massie. Dylan aplaudió, emocionada. Massie rompió el papel, lo arrugó formando una bola y lo arrojó por encima del hombro hacia la parte trasera de la camioneta. La bola de papel aterrizó a dos centímetros de los pies de Claire.

—¡No puede ser! ¡La blusa de Alberta Ferretti que vi en *Lucky!* —exclamó Massie—. Y además es violeta, mi nuevo color favorito.

—Ali, dejaste la etiqueta —hizo notar Dylan, arrancándola justo antes de que Massie pudiera verla. Luego la arrojó como un platillo volador, y la etiqueta aterrizó junto a la bola de papel. Claire se inclinó para ver cuánto había costado la blusita tipo halter. Al ver la cifra, tragó saliva. Hasta ese momento nunca había creído que esa expresión, la de tragar saliva, fuera real.

"¿Cómo es posible que una blusita de tela más delgada que el papel higiénico sea *tan* cara?", pensó. Las chicas estaban muy ocupadas aceptando los abrazos de agradecimiento de Massie, para hacerle caso a ella. Claire recogió la etiqueta. Claramente decía setecientos ochenta dólares. ¡¡¡$780.00!!! Sacó su cámara e hizo dos tomas: una de lejos y otra de acercamiento. Ninguna de sus amigas iba a creerlo.

Dylan tomó el control remoto y comenzó a cambiar de canales. Se detuvo en *The Daily Grind.*

—Mi mamá va a entrevistar hoy a ese tipo guapo en *The Young and the Restless* que está en coma —dijo Dylan, llena de orgullo—. Shhh, ahí está —y se inclinó hacia adelante.

—Bueno, Drew, ha sido un placer hablar contigo esta mañana. Muchas gracias por venir. Todos rezamos para que pronto despiertes de ese horrible coma, para que tú y tu amante, Melanie, puedan deshacerse del cadáver de tu esposa —dijo Merri-Lee Marvil, dándole un beso de despedida al rubio actor de rostro anguloso.

Cuando estuvo fuera de cuadro, la entrevistadora miró hacia la pantalla y preguntó: —¿Alguna vez se han preguntado qué piensa *realmente* su perro de los amigos de sus dueños? La doctora Gabby, especialista canina, les hablará sobre eso en cuanto regresemos del corte comercial.

Dylan apagó el aparato, molesta.

—No puedo creer que nos hayamos perdido al guapo del coma —dijo Dylan—. ¿Cómo se apellida?

—Creo que empieza con una *D*, y tiene seis letras —dijo Kristen.

—Bueno, para ti todo es un crucigrama, ¿verdad? —preguntó Massie.

—Divine —respondió Claire—. Se apellida Divine.

Por un breve momento, Kristen pareció haber olvidado la idea de que Claire no les caía bien, porque se dio vuelta y le habló directamente.

—Exacto —afirmó—. Qué bueno que te acordaste, si no, esto me hubiera dado vueltas en la cabeza todo el día.

—Kristen, ¿no crees que Dylan debería tomar el teléfono del guapo del coma de la PalmPilot de su mami? —la distrajo Massie.

Kristen tuvo que dejar de ponerle atención a Claire para contestar.

—Sí, claro —dijo Kristen—. Dylan, ¿crees que puedas?

—¡Por supuesto! —dijo Dylan, casi ofendida por la pregunta—. Para mañana en la mañana estaremos haciéndole una llamada de broma.

—Espera un momento, ¿tu mamá conoce a Drew Divine? —preguntó Claire, inclinándose hacia adelante todo lo posible para no caerse en la siguiente fila de asientos—. ¿Por qué lo conoce?

—Acaba de hablar con él —dijo Alicia—. ¿No viste?

—¿Tu mamá es Merri-Lee Marvil? —preguntó Claire—. ¿La conductora de *The Daily Grind?*

The Daily Grind era el programa matinal favorito de la mamá de Claire.

—Pues sí —contestó Dylan, quitándose una pelusa imaginaria de la blusa y arrojándola al aire.

—Entonces, ¿conoces a gente famosa todo el tiempo? —preguntó Claire—. ¿Y se ve igual en la vida real que en la TV? ¿De veras sale con Geraldo Rivera?

—Eso fue todo por hoy, Barbara Walters —dijo Massie.

Claire se dejó caer en su asiento, como si le hubieran dado un golpe en el estómago, y decidió callarse. ¿Qué sentido tenía decir algo más? Sólo miró por la ventanilla de la camioneta, e ignoró a las cuatro chicas envueltas en un montón de ropa, zapatos y bolsas carísimas.

La Range Rover
En la sección de Primera Clase
8 :19 a.m.
2 de septiembre

Massie oyó unos crujidos provenientes del asiento trasero, y trató de no escucharlos, pero cada vez eran más fuertes. El olor a papitas fritas saladas y grasosas invadió el interior de la camioneta. Massie se dio cuenta de que Claire estaba comiendo papitas, a pesar de que era tan temprano y de su alto contenido de grasas. Massie sacó su celular, cortando el aire como si fuera una espada.

MASSIE: Q SE VAYA
ALICIA: CON TODO Y SU FLEQUILLO
DYLAN: ME CHOCA TODO SU CORT
MASSIE: Y Q TAL LOS ZAPATOS?

Dylan, Alicia y Kristen se asomaron al asiento trasero al mismo tiempo, y se levantaron para ver bien los pies de Claire. Massie se moría de ganas de ver la reacción de Claire, pero al final no se atrevió a voltear.

KRISTEN: PRIMERO MUERTA Q CON KEDS
MASSIE: NO ES UNA C. C. N.
DYLAN: ?????

MASSIE: CHICA COMO NOSOTRAS, NUEVAS SIGLAS

DYLAN: ME ENCANTAN!

Massie volvió a guardar su teléfono en el estuche Prada de nailon, y con eso les señaló a las demás que era hora de volver a hablar en voz alta.

La Range Rover
En la escuela Ocd
8 :27 a.m.
2 de septiembre

Claire se quedó boquiabierta al ver la escuela a la que asistiría durante los diez meses siguientes. El estacionamiento estaba lleno de Mercedes, Jaguares, camionetas Lexus, BMW convertibles e incluso algunas limos. Su antigua escuela sólo tenía los autobuses amarillos del transporte escolar, y unos cuantos Toyotas y Hondas bastante viejos de los maestros.

De pronto, Claire sintió un sabor metálico en la boca, lo que generalmente anunciaba vómito. Trató de calmarse tarareando en voz baja la canción "Mis cosas favoritas" de la película *La novicia rebelde.* Funcionaba para la familia Von Trapp, y siempre había funcionado para ella.

Raindrops on roses

And whiskers on kittens...

Los imponentes edificios de ladrillo se veían mucho más acogedores en la portada del folleto. Las enredaderas trepaban por las paredes hasta el techo, y estaban rodeadas de altos pinos. A Claire se le ocurrió que ese despliegue vegetal era la manera en que la naturaleza mantenía a la gentuza afuera de sus fronteras.

En el instante en que Isaac apagó el motor, las chicas salieron caminando una junto a la otra hacia el amplio prado que rodeaba la entrada de la escuela. Pequeños grupitos de amigas vistiendo ligeras variaciones del mismo atuendo se reunían después de las vacaciones de verano. Casi todas usaban pantalones de mezclilla oscuros o minis con camisetas. El color y el corte de las blusitas era al gusto de cada una, pero todo lo demás parecía sacado de las páginas de *Teen Vogue, Elle Girl* y *Lucky*. Nadie traía mochilas Jansport, sino bolsos con monogramas de diseñadores.

A Claire le pareció curioso que la OCD fuera una escuela privada antiuniformes, y que, sin embargo, todas las estudiantes se vistieran exactamente igual. Gracias a la idea de las tendencias de la moda de su mamá, ella era la única que sobresalía.

Bright copper kettles

And warm woolen mittens

Se dedicó a observar todo eso mientras esperaba pacientemente a que alguien abriera la portezuela trasera de la camioneta para dejarla salir. El reloj en el tablero marcaba las 8:30 A.M., lo que significaba que solamente le quedaban diez minutos para encontrar el salón de su primera clase. Isaac subió el volumen de la música clásica que estaba escuchando y, antes de que Claire pudiera decir algo, arrancó.

—Isaac —llamó desde el asiento trasero.

Él siguió manejando.

—¡ISAAC! —gritó Claire, pasando la pierna sobre el asiento para llegar hasta la sección de primera clase, y dándole unas palmaditas en el hombro a Isaac.

—Isaac, lo siento, pero tengo que bajarme aquí.

El chofer dio un salto y frenó de inmediato. —¿Qué haces aquí?

—Es la pregunta del día —dijo Claire.

Isaac manejó en reversa para volver a la entrada circular para autos de la escuela.

—Gracias por traerme —dijo Claire al bajar. Isaac cerró la puerta, pero no contestó. Estaba muy ocupado localizando a Massie.

Por fin la vio abrazando a una chica de octavo, que llevaba un casco de monopatín en una mano y una colchoneta para yoga en la otra.

—¡Massie! —exclamó Isaac, sin importarle llamar la atención. De hecho, gritó otras tres veces más.

Y todos voltearon a verlo, excepto Massie.

Isaac dejó la camioneta en medio de la entrada, pese a los bocinazos de los enojados conductores que iban detrás y exigían que la moviera.

—Tengo que hablar contigo —le dijo.

Massie seguía hablando con la chica de octavo, mientras Dylan, Alicia y Kristen esperaban pacientemente a que terminara para continuar su camino.

—¡Massie! —repitió Isaac.

—¿Qué pasa? —reaccionó Massie, mirando a sus amigas y poniendo los ojos en blanco.

—Dejaste a Claire en la camioneta —dijo molesto.

Massie y sus amigas dejaron escapar una risita.

—Creí que *tú* le ibas a abrir —dijo Massie, sonriendo.

Más risitas.

Claire sintió que todos la miraban, y se moría por decir que no tenía problemas con que la hubieran dejado en la camioneta, que había sido un simple malentendido, y que no quería meter a Isaac en problemas; pero no lo hizo. En vez de hablar, cantó para sí misma.

Brown paper packages tied up with strings
These are a few of my favorite things...

—Espero que trates a Claire con amabilidad y respeto —dijo Isaac, mirando directamente a los ojos color ámbar de Massie.

—Creo que mejor me voy —dijo la chica de octavo—. Buena suerte con tu trabajo de niñera. Claire la vió correr hacia sus amigas, como si no pudiera esperar para contarles lo sucedido. Massie se cruzó de brazos y se quedó mirando a Isaac.

—Muchas gracias, Isaac —dijo irónica—. Seguramente ganará unos cincuenta puntos de chisme por esta historia —continuó, mirando a la niña de octavo, que se reía con sus amigas a la distancia, señalándola. Luego volvió a mirar al chofer. —Isaac, ¿te pedí que me limpiaras?

—¿Qué? —preguntó Isaac—. Claro que no.

—Entonces, ¿por qué me estás fregando? —dijo Massie.

—Oooh, no, ¡no dijiste eso! —exclamó Alicia.

Dylan, Kristen y Alicia celebraron con gritos las inagotables ocurrencias de Massie, y chocaron las palmas en alto en su honor.

Incluso Claire no pudo evitar sentirse un poco impresionada. Todo lo que Massie decía era tan ocurrente, divertido y *genial.*

Claire se volvió hacia Isaac. No tenía idea de cómo iba a reaccionar. De algún modo, esperaba que tomara a Massie del brazo y le pusiera los puntos sobre las íes, o que amenazara con contarle todo a sus papás; pero no lo hizo. Tan sólo se quedó ahí parado, muy derecho, y mirándola a los ojos. Y Massie tampoco desvió la mirada. Era como si estuvieran comunicándose telepáticamente en un lenguaje privado. Todos observaban la escena en silencio.

—Bueno —dijo Massie, caminando hacia la puerta de la escuela. Claire iba detrás, e Isaac las miraba desde su lugar.

—Ésta es la OCD —explicó Massie con voz monótona, como si fuera una guía de turismo, que hubiera hecho el mismo recorrido cincuenta veces ese mismo día.

—Adentro verás filas de casetas que parecen cajeros automáticos —continuó Massie—. Mete tu credencial de la escuela en la ranura, y saldrá tu horario de clases. La cafetería está a la izquierda, lo mismo que el gimnasio, los salones de danza, la piscina y el spa. A tu derecha están los salones de séptimo y la sala de maestros. Nos vemos ahí a las 3:25 en punto, si quieres que te llevemos de regreso. Si no llegas, pensaré que prefieres caminar.

La escuela OCD
En el quiosco de Starbucks
11:25 A.M.
2 de septiembre

El segundo período acababa de terminar, y las chicas se reunieron en la recién renovada cafetería de la escuela para tomar unos *chai lattes* antes de la siguiente clase. La cafetería estaba perfectamente decorada, con paneles de madera de cerezo y detalles en latón. Kristen tomó con cuidado su té caliente del mostrador de Starbucks y se dirigió hacia Massie, Dylan y Alicia. Estaban apoyadas en un mural que mostraba a mucha gente tomando bebidas calientes a lo largo de la historia, con las manos llenas de libretas, cuadernos y grandes tazas de café.

Un grupo de chicas estudiosas vestidas con sudaderas y pantalones para trotar de Juicy Couture apuraron el paso, y miraron al piso al pasar junto a Massie.

—Miren, son las "matletas" —dijo Massie—. Anímense, chicas, finalmente regresamos a clases.

Las estudiosas no respondieron.

Alicia se inclinó hacia sus amigas y les dijo al oído: —Creo que Jena Drezner se puso la camiseta del perro por error. Miren, apenas le tapa las costillas —señaló.

—Hola, chicas —dijo Jena—. ¿Cómo les fue de vacaciones? Todas se ven increíbles, como siempre. Oye, Massie, supe que tienes una nueva protegida.

—¿Qué? —dijo Massie.

—Sí, todo el mundo dice que tienes una nueva mejor amiga —dijo Jena—. Espero que me la presentes. Hace mucho que no teníamos un "desastre de la moda" en la escuela. Ya se me había olvidado cómo son. Pero si hay alguien que puede cambiarle la imagen, eres tú.

—Revisa tus fuentes, Jena. Si tuviera una nueva mejor amiga, obviamente estaría aquí con nosotras —dijo Massie, poniendo los ojos en blanco y dándole un sorbo a su latte.

Cuando Jena se fue, Massie se acercó más a sus amigas y les dijo en voz baja —Me dijeron que se hizo pipí en la cama en el campamento este verano.

—Yo oí lo mismo por ahí —dijo Alicia.

—Lástima, porque yo lo dije primero, así que me gané dos puntos de chisme —dijo Massie.

Pero además de esos puntos, Massie había obtenido mucho más de su encuentro con Jena. Ahora sabía que ya estaban hablando de ella y de Claire.

—Mi vida social está en estado de emergencia —dijo Massie desesperada.

—Pero en realidad no te vas a hacer amiga de Claire, ¿verdad? —preguntó Alicia.

—Claro que sí. Tú sales del grupo y ella entra, de tiempo completo —dijo Massie.

—¿En serio? —en un segundo, a Alicia se le borró la sonrisa y puso una cara de terror absoluto—. ¿Es porque no quise cancelar nuestro día de compras para ir a cuidarte ayer? Te juro que estaba bromeando.

—Ya lo sé. Yo también —dijo Massie.

Alicia se cruzó de brazos, como si tuviera frío, pero Massie sabía que trataba de taparse los pechos tan grandes. Siempre lo hacía cuando se ponía nerviosa.

—Gorra de Burberry —dijo, señalando a una chica de séptimo que traía una gorra con la famosa tela a cuadros de la marca inglesa—. Y no se vale devolver el golpe —dijo Massie, al tiempo que le pegaba a Kristen en el brazo con todas sus fuerzas.

—¡Aaauch! —se quejó Kristen. Se le cayeron los libros al suelo, y se le derramó el té caliente en el pecho y el brazo izquierdo.

La primera en ver a alguien llevando cualquier prenda de Burberry podía pegarle a quien quisiera y tan fuerte como quisera. Ésa era la regla. Habían inventado ese juego hacía dos años, y todas habían recibido un buen golpe en algún momento.

Massie oyó el sonido de las suelas de hule que rechinaban contra el piso, y se puso tensa, porque ese sonido agudo significaba que Claire y sus Keds estaban cerca.

—Kristen, ¿estás bien? —preguntó Claire.

—No le pasó nada. Hacemos esto todo el tiempo, ¿ves? —dijo Massie, señalando la sonrisa forzada de Kristen.

—Hay que estar siempre preparada —dijo Kristen, y sacó de su bolsa una blusa de repuesto, como si sacara un pañuelo de papel de una caja. Luego secó sus libros con la orilla de la blusa manchada.

Massie no podía creer que Claire siguiera ahí parada junto a ellas. —Claire, ¿te llegó una invitación hoy? —le preguntó, con la cabeza ladeada y los brazos cruzados.

—¿Invitación? No, para nada —respondió Claire.

—Entonces, ¿qué haces en mi *fiesta?* —dijo Massie.

Todas se rieron, menos Claire. Su labio inferior temblaba.

El fuerte sonido del timbre hizo que las que caminaban despacio se apuraran para llegar a la clase siguiente.

—Ya me tengo que ir —dijo Dylan, corriendo a la clase de inglés.

—¿Me dará tiempo de ir al baño a lavarme la mancha del té antes del segundo timbre? —preguntó Kristen.

—Sí, corre. Te guardo un lugar —contestó Alicia.

—Apúrense —gritó Kristen.

—Ella es la que no sabe *cómo* apurarse —bromeó Massie.

—¿Y por qué tendría que sudar para llegar a la clase de arte? —preguntó Alicia.

—¡A mí también me toca arte! ¿Tu maestro se llama Vince? —y Claire se quedó hablando sola.

—Mejor ya vete, Alicia —dijo Massie, viendo a Claire.

Y Alicia se fue.

Massie y Claire se quedaron solas. De pronto, el corredor se quedó silencioso y vacío. Massie se dio cuenta de que era la primera vez que veía a Claire de frente. Era bonita, de una manera sencilla, y Massie no pudo evitar pensar en que, con un nuevo atuendo, un poco de máscara de pestañas y un buen corte de cabello, podría hacer nuevas amigas por su cuenta.

—No entiendo por qué me odias tanto —dijo Claire con voz temblorosa.

—Claire, no estamos en *Clueless* —dijo Massie—. ¿Por qué no te buscas algunas amigas y me admiras desde lejos, como todas los demás?

Claire no podía creer lo que oía. Abrió mucho más sus ojos color aguamarina, y se le escapó una risita nerviosa.

—Prácticamente vivimos juntas, Massie —le dijo Claire—.

No me puedo ir, por mucho que lo intentes.

—Obviamente, no me has visto intentarlo —respondió Massie.

Claire se subió las pulseras del brazo lo más posible, como si estuviera arremangándose para una pelea a puñetazos.

—Me preguntaba si eso que acabo de oír no fueron palabras, sino ladridos —dijo Claire.

—¿Qué dices? ¿Por qué? —preguntó Massie.

—¡Porque te portas como una *perra!* —dijo furiosa, y se alejó antes de que Massie tuviera tiempo de contestar.

"Pobre Claire", pensó Massie. "En su mundo, probablemente hacer algo así ha de ser lo máximo."

Pero en el mundo de Massie, era un gran error.

MASSIE: CLAIRE NOS DIJO PRRAS
DYLAN: ?????
DYLAN: Q GROSERA. NOS ACABA D CONOCR
MASSIE: YO VOTO POR EXPULSARLA
ALICIA: LISTO ☺
DYLAN: LISTO ☺
KRISTEN: Y LISTO ☺

Massie cerró su teléfono y sonrió. Sabía que sus amigas harían todo el trabajo sucio, y eso era justo lo que quería para quedar como "inocente", cuando su mamá y su conciencia le reclamaran por lo que estaban a punto de hacer.

La escuela OCD
En la clase de arte
11:40 a.m.
2 de septiembre

Cuando Claire finalmente llegó al salón, ya todos estaban sentados y listos para empezar, excepto ella.

En las repisas de las ventanas se alineaban jarrones con flores de colores, y había tazones con frutas que brillaban en la repisa de la pared trasera. Las luces del techo iluminaban todo el salón, creando un ambiente alegre y agradable.

—Pareces confundida. ¿Cómo te llamas? —le preguntó un hombre alto y flaco, con un delantal azul marino que decía: SI ESTÁ PERFECTO, ¡NO LO TOQUES!

Toda la clase miró a Claire.

—No estoy confundida, sólo busco un lugar para sentarme —contestó Claire, sintiendo cómo se le enrojecía la cara.

—¿Y tu nombre esssss? —dijo, taconeando impacientemente.

—Claire.

—Hola, Claire, yo me llamo Vincent. Me gusta bailar swing y ver buenos programas en la TV. Y no me gusta... déjame pensar... a ver... ah, sí: ¡LA IMPUNTUALIDAD! —gritó—. Así que si te apuras y te sientas en ese lugar junto a la ventana, te lo agradeceré.

El asiento vacío estaba junto a Alicia, que lo había apartado poniendo su saco *vintage* de gamuza en el respaldo, para que nadie lo ocupara.

—Éste no es el probador de Saks, señorita Rivera —dijo Vincent, sacudiendo la mano como si espantara a un mosquito.

Claire avanzó lentamente entre el laberinto de caballetes y bancos, fijándose si por casualidad encontraba otro asiento desocupado. Alicia sacudió la cabeza, como advirtiéndole que no se acercara. Y Claire se encogió de hombros, esperando que Alicia entendiera que no le quedaba otra.

El dedo manicurado de Alicia señalaba un asiento vacío frente al escritorio de Vincent, pero era demasiado tarde.

—Claire, la pintura se seca más rápido que tú. ¡Apúrate! —dijo Vincent, con las manos en la cadera y la cabeza ladeada, como si fuera a seguir con el sermón. Pero la puerta se abrió, y con eso se distrajo.

Todos voltearon a ver quién llegaba, y Claire aprovechó para sentarse.

Kristen entró jadeando, despeinada y agotada.

—Lo siento, Vincent, estaba en el baño —explicó.

—Un retardo más, señorita Gregory, y yo, personalmente, te cortaré esa preciosa cabellera rubia y la convertiré en pinceles.

Claire fue la única que se rió abiertamente de la amenaza.

La cara angular y afilada de Vincent se suavizó al oírla reír, y el brillo en sus ojos le dio a entender que, finalmente, había encontrado en ella una estudiante que captara su sentido del humor.

Kristen se retorcía los mechones sueltos con un dedo, y le lanzó a Alicia una mirada de confusión.

—¿Y mi lugar? —preguntó.

Alicia señaló con la cabeza hacia Vincent, e hizo un gesto para darle a entender que no podía hacer nada con Claire.

—Parece que el único lugar que queda es éste —dijo Vincent, dando golpecitos en el banco vacío frente a su escritorio, y haciendo sonar en la madera el anillo de oro que llevaba en el meñique.

Claire se revisó los dedos, buscando algo para morder, pero no quedaba nada.

Vincent sacó un reloj de cocina del bolsillo, y lo puso para que sonara a los quince minutos. Luego se dirigió al estrado en medio del salón, y jaló una esquina de la sábana que lo cubría para revelar un frutero con tres tomates rojos muy brillantes.

—Tienen exactamente quince minutos para pintar una naturaleza muerta titulada *Tomates maduros* —explicó—. Ya pueden empezar.

En el salón reinaba el silencio, salvo por el ocasional sonido que hacían los pinceles al meterlos en el agua, y sacudirlos en el borde de los recipientes para limpiarlos.

Vincent recorría los pasillos, revisando el trabajo de sus estudiantes con todo detalle, como si fuera un crítico de arte. A Claire le pareció que el reloj de cocina sonaba como el que se traga el cocodrilo de *Peter Pan.* Le costaba concentrarse.

Le pareció que también Alicia estaba distraída, porque su mirada se paseaba nerviosamente por el salón. Mientras Vincent comentaba los "brochazos desordenados" de alguien, se acercó a Claire.

—¿Me prestas tu rojo? El mío ya tiene grumos —dijo.

—Claro.

Alicia se inclinó para meter su pincel en la pintura. Perdió el equilibrio y tuvo que agarrarse de Claire para no caerse.

—Lo siento —dijo, algo apenada.

—¿Estás bien? —preguntó Claire.

—Sí, gracias —dijo Alicia.

—¿Algún problema, jovencitas? —dijo Vincent.

—No —contestaron a la vez.

Claire siguió con su naturaleza muerta.

—Faltan cuatro minutos —anunció Vincent.

Alicia se rió.

—¿Me perdí algo divertido en el programa de *Jay Leno* de anoche, señorita Rivera? —preguntó Vincent.

—No, Vincent, perdón. Creo que el olor de la pintura ya me está afectando. Quizá debería sentarme por un minuto.

—Buena idea —dijo Vincent, mientras limpiaba suavemente uno de los tomates con su manga.

Claire se dio prisa para terminar su tercer tomate, pero otro ruido la distrajo. El débil sonido que hacían las teclas de los teléfonos al ser presionadas le recordó el horrible camino a la escuela de esa mañana. Otra vez estaban hablando de ella.

KRISTEN: ?
ALICIA: •
KRISTEN: ???
ALICIA: •
KRISTEN: ???!!!
ALICIA: • = A CLAIRE LE BAJÓ

Cuando Kristen recibió el último mensaje de texto, se asomó a ver a Claire y, por supuesto, vio una gran mancha de pintura roja en el trasero del pantalón blanco de Claire. Alicia levantó su pincel con pintura roja, y Kristen se tapó la boca con la mano, pero ni siquiera así pudo disimular la risa.

Cuando acabó la clase, Claire se levantó y se dirigió a la salida. Mientras avanzaba, las risitas de las chicas se sucedían. Claire se pasó la mano por la nariz, por si tenía un moco, pero no encontró nada. También se acomodó el flequillo para evitar que se partiera por la mitad, cosa que odiaba. Las chicas seguían burlándose de ella. Ya casi alcanzaba la puerta cuando Vincent la detuvo.

—Claire, ¿puedes quedarte un momento?

"Lo que me faltaba", pensó Claire.

Cream colored ponies and crisp apple strudels

Doorbells and sleigh bells

And schnitzel with noodles...

—¿Qué dices? —preguntó Vincent.

—Nada —contestó Claire, al darse cuenta de que estaba cantando en voz alta.

Escribió algo en una pequeña libreta blanca, y Claire pensó que parecía un doctor dándole una receta.

—Quiero que vayas a la enfermería de inmediato —dijo—. Toma esta nota. Te servirá como justificante por llegar tarde a la próxima clase.

—¿Por qué? ¿Qué pasa? —preguntó Claire.

—Prefiero que lo hables con la enfermera. Ahora vete —le ordenó el maestro.

Claire se quedó mirándolo.

—¡Vete ya!

Claire salió del salón, pero no tenía ni idea de dónde estaba la enfermería. Con toda la confusión, no había caído en cuenta de preguntar.

Alicia y Kristen estaban a mitad del pasillo. Alicia se había portado tan normal, casi *amable* cuando le había pedido la pintura. Quizá no habría problema en preguntarles.

—Oigan, chicas, ¿me pueden decir dónde está la enfermería? —preguntó Claire, tratando de sonar desesperada. Tal vez si pensaban que se le iba a reventar el apéndice o que buscaba ayuda para un profesor moribundo, o algo así, le responderían sin mencionar lo del asiento reservado.

—Ay, claro. Baja la escalera, luego a la derecha, y camina por todo el pasillo hasta el final. La enfermería es la última puerta a la izquierda —le explicó Kristen.

Claire se sintió aliviada, porque su dramática petición había funcionado.

—Perfecto, gracias —Claire se dirigió a la escalera como si fuera la doctora Mónica Quartermaine en *General Hospital.*

Cuando ya no podían verla, Claire caminó más despacio. Los murmullos parecían perseguirla.

Al bajar la escalera sintió el golpecito de un objeto ligero en el trasero, y de inmediato pensó en las pasitas de su hermano. Dos objetos más chocaron contra su trasero, pero no se detuvo. No podía. Había mucha gente en la escalera y no quería detener a nadie.

El sótano estaba mal iluminado y silencioso. Olía a productos químicos. Llamó levemente a la puerta, y esperó a que le abrieran.

—¿Hola? —dijo Claire asomándose, pero el cuarto estaba oscuro, salvo por una lucecita roja que brillaba en un rincón.

—¡Cierra la puerta! —gritó alguien.

—Busco a la enfermera —dijo Claire.

—¡Éste es el cuarto oscuro! —dijo alguien más, con tono

molesto. La enfermería está en el piso principal, junto al estudio de arte.

—Gracias; perdón —dijo Claire, cerrando la puerta y corriendo a la escalera. En el camino se tropezó con tres tampones pisoteados, y pensó que seguramente se habían caído de la Louis Vuitton de alguna chica.

—Dios mío, Kristen, ¿cómo se te ocurrió darle mal las instrucciones a la chica nueva? ¡Qué lista eres! Pero no, disculpa, lo más probable es que Massie te haya dado la idea. Se me olvidó que no puedes pensar nada por ti misma, ¿verdad? —dijo Claire entre dientes, mientras subía la escalera, de regreso adonde había empezado.

La enfermería olía a alcohol, a pesar del florero con rosas rosadas frescas en la recepción.

—Hola, ¿qué se te ofrece? —preguntó la enfermera amablemente, con voz suave.

—Busco a la enfermera —dijo, y los ojos se le llenaron de lágrimas. De repente, todo lo que había pasado durante esa mañana se le venía encima.

—Yo soy la enfermera. Me llamo Adele —y señaló su nombre bordado en la bata blanca.

Adele tenía cabello castaño hasta los hombros y dulces ojos verdes. Parecía amable y cariñosa, como las mamás en las películas para toda la familia.

—Siéntate y dime qué tienes.

—Estoy bien, de verdad. No sé ni por qué estoy aquí —dijo, tratando de forzar una sonrisa—. Vincent me dijo que viniera, pero no me explicó por qué.

—Claire, ¿puedes levantarte? —dijo Adele con seguridad,

como un detective que está punto de resolver el caso.

Claire se levantó con cuidado.

—Pues como me imaginaba, te bajó la regla —dijo Adele.

—No, claro que no —dijo Claire.

—Mira tu pantalón —le dijo, pasándole un gran espejo de mano del cajón.

—¡No puede ser!

—Es algo muy natural, no hay que avergonzarse de nada. Te voy a buscar algunos folletos sobre la menstruación, y un pantalón del perchero de objetos perdidos. No tardo.

Claire sabía que lo de la menstruación era imposible. Aun no se le notaban los pechos ni le salía el vello, ni había ningún otro signo de que fuera a tener su primer período. Frotó con el dedo índice la mancha roja del pantalón, y se dio cuenta de que era pintura. Regresó mentalmente a la clase de arte, y se detuvo en el momento en que Alicia le pidió pintura roja, y fingió estar a punto de caerse. "Vaya", pensó, "Massie consigue lo que quiere". Y toda la escena volvió a pasar ante sus ojos. Claire estaba tan avergonzada y molesta que ni siquiera podía pensar con claridad.

Adele regresó empujando un perchero lleno de ropa de diseñadores.

—Éste es el perchero de objetos perdidos. No te preocupes; mandamos todo a la tintorería antes de colgarlo aquí —dijo—. Revísalo y escoge lo que más te guste.

—¿En serio? —preguntó Claire.

—Sí, claro. Es *muy raro* que las chicas de esta escuela regresen a buscar prendas de la temporada pasada.

—¿De veras? —dijo Claire, abriendo los ojos a más no poder—. Yo tendría que ahorrar como por mil años para comprarme una sola de estas prendas.

—Pues llévate todas las que quieras —dijo Adele con una sonrisa—. Que te baje la regla por primera vez es algo que hay que celebrar.

Claire podía sentir la mirada de Adele sobre ella, mientras revisaba los pantalones de mezclilla de Seven, las blusas de seda estampada, las camisetas con aplicaciones de pedrería, las minis de mezclilla, las camisolas de satén, los suéteres de cachemir, los sacos de gamuza y los pantalones de cuero.

—Eres nueva en la escuela, ¿verdad? —le preguntó.

—¿Se me nota tanto?

—Un poquito —dijo Adele—. Pero en buen sentido.

Claire no estaba segura de lo que eso quería decir, pero igual agradeció el cumplido. Necesitaba ser tratada con un poco de amabilidad.

Claire le dio las gracias a Adele con un abrazo, y prometió regresar a visitarla.

Cuando salió de la enfermería, Claire se veía como toda una alumna de la OCD, con una camiseta de cachemir en color camello, pantalones acampanados de mezclilla oscura y un par de botas puntiagudas de Steve Madden. Se sintió mal al tener que tirar su overol favorito, pero de todas maneras ahora estaba arruinado.

Se encaminó a la cafetería, con los dedos de los pies apretujados, pero la frente en alto.

La Escuela Ocd
En la cafetería
12:26 p.m.
2 de septiembre

Massie esperó a que sus amigas se sentaran y organizaran sus cosas antes de contarles la buena noticia. Pacientemente, aguardó a que 1) Dylan quitara el papel de aluminio de su almuerzo de *The Zone* y oliera la pechuga de pollo asada; 2) Alicia rompiera con los dientes la esquina de varios paquetes de mostaza y la echara en su hamburguesa vegetariana (sin pan); y 3) Kristen metiera un plátano en un envase de yogurt helado.

Cuando ya estaban listas para concentrarse, Massie se inclinó hacia adelante con los codos en la mesa, y adoptó la "posición de chisme". Las demás hicieron a un lado la comida y la imitaron.

En cuanto se formó el corrillo, Massie empezó a hablar.

—Me voy a ganar por lo menos veinte puntos por lo que les voy a contar —anunció Massie.

—¿Qué es? ¡Cuenta, cuenta! —la animaron.

—Quedé de verme con un chico de Briarwood el sábado —dijo. Al ver sus rostros iluminados, Massie supo que ya no importaba que hubiera faltado a las compras del Día del Trabajo. Seguía siendo su heroína.

—¿Por qué no nos lo contaste esta mañana en la camioneta? —preguntó Alicia.

—Porque no quería que Claire lo oyera —Massie alzó la cabeza y recorrió la cafetería con la mirada.

—¿Cuándo lo conociste? —preguntó Kristen.

—Ayer, en los Establos Galwaugh —dijo Massie.

—Pero, ¿no estabas *enferma?* —preguntó Alicia.

—No me sentí mal todo el día.

—Ah —dijo Alicia.

—En la tarde me sentí mejor —Massie se levantó el cabello, lo retorció en un moño y lo aseguró con los palillos de bambú que venían con su rollo de sushi de atún picante, y continuó.

—Tiene quince años, es a-do-ra-ble y tiene su propio caballo —dijo Massie.

—Suena perfecto —comentó Kristen emocionada—. Puede ser *el elegido*.

—Cuéntanos todo —pidió Alicia—. Hasta el último detalle.

Y Massie así lo hizo.

La Escuela OCD
En la cafetería
12:30 p.m.
2 de septiembre

Aunque Claire no tenía hambre, deslizó una bandeja anaranjada por los rieles plateados frente a los mostradores de la comida. Era la única manera de pasar inadvertida y, al mismo tiempo, evaluar la hora del almuerzo. Dejó pasar rollos de sushi, bistecs de tofu, verduras crudas y una barra de ensaladas, sin servirse nada. Estaba muy ocupada echándole el ojo a las demás chicas. No tenía que haber crecido en Westchester para saber que la mesa que eligiera para sentarse en los próximos minutos la iba a marcar de por vida.

—¿Eso es todo? —le preguntó la cajera.

La chica que iba detrás de Claire en la fila dejó escapar una risita.

Claire se fijó en su bandeja y, al verla vacía, tomó una barra de chocolate de la caja que estaba junto a la cajera.

—Vaya, por fin una chica que sí come chocolate —dijo la cajera—. ¡Increíble!

Claire sonrió, y se preguntó si realmente era posible estar en una escuela en donde sólo había comida saludable.

Pero era cierto. En todas las mesas había botellas de agua Glaceau. Aunque Claire hubiera querido pedir una, no sabía cómo pronunciar el nombre. Trató de ver qué estaba comiendo Massie, pero no lo logró, porque estaba en una esquina alejada del salón con Alicia, Dylan y Kristen. Era la única mesa para cuatro personas en la cafetería; todas las demás tenían seis asientos, o más. Las cuatro estaban sentadas con la cabezas muy juntas, y Claire supuso que se estaban contando secretos. De tanto en tanto se escuchaba una carcajada, y una de las cuatro se apartaba apenas lo suficiente para mirar a su alrededor y asegurarse de que nadie las estuviera escuchando. Las demás chicas parecían magnéticamente atraídas hacia el grupito. En apenas cinco minutos, por lo menos cuatro diferentes "postulantes" se acercaron a la mesa en cuestión, con una gran sonrisa esperanzada. Cada una se quedaba unos minutos, pero en cuanto se alejaba, Alicia, Dylan, Kristen y Massie reanudaban la conversación y las risas, seguramente sobre la chica que acaba de irse.

Claire sabía que un asiento en esa mesa le garantizaba un futuro promisorio en la OCD, pero tomando en cuenta la mañana que había tenido, no quiso fantasear. Nunca sucedería.

No todas las mesas parecían tan exclusivas como la de Massie, pero ninguna se veía tan atractiva. Un grupo de chicas muy pintadas se veían como si hubieran ido a maquillarse con una adivina de bola de cristal. En otra mesa había unas muchachas tan delgadas que se parecían a los popotes untados de lápiz de labios que flotaban en sus latas de Coca de dieta. Tres chicas, que Claire supuso que eran luchadoras porque tenían el cuello muy fuerte, aplastaban envases de leche en una mesa cercana a la puerta de los baños. Se le ocurrió tomarles una foto y titularla "¿Tienen amigas?", pero se contuvo, dada su propia situación.

Una luz blanca que venía de una de las mesas del centro le

llamó la atención. A continuación escuchó unas ruidosas carcajadas que resonaron en la cafetería. Claire se concentró en esas chicas, aunque se dio cuenta de que todas las demás trataban de distanciarse de ellas, ya sea acercando más las sillas a sus propias mesas o saliendo de la cafetería aun sin haber terminado de comer. Claire pensó en sentarse con ellas, pero se preguntó si sería una buena movida en cuanto a sus futuras relaciones. Quizá no, pero al menos se divertiría un poco.

Claire buscó en la mochila el bolsillo del celular (en el que traía el maquillaje y chicles, ya que no lo tendría hasta cumplir los dieciséis) y sacó el brillo de labios con aroma de uva. Se puso dos capas, y lo guardó.

—Disculpa —Claire estaba parada entre dos de las chicas y frente a la tercera—, ¿es ésa una PowerShot S100 Elph digital?

Tres rostros se volvieron hacia ella al mismo tiempo, todavía con la sonrisa por lo que acababan de decir antes de que Claire las interrumpiera.

—Sí, me la dieron para mi cumpleaños —dijo la fotógrafa, que tenía el cabello peinado con siete trenzas, y llevaba pantalones de mezclilla descoloridos con tirantes y camiseta rosa.

—Qué curioso, yo tengo una exactamente igual —dijo Claire, buscándola en su mochila—. La llevo a todas partes —y le mostró la minicámara en la palma de la mano, como si fuera un pajarito.

Las otras dos chicas llevaban tatuajes de pedrería en los brazos. Una tenía una mariposa azul, y la otra, un corazón rosa.

—¿Son de verdad? —dijo, señalando los cristales y sonriendo para que se dieran cuenta de que estaba bromeando. Pero no funcionó.

—No —dijo la chica de la mariposa—, los compramos en la farmacia; creo que costaban un dólar con veinte.

—Bueno, es que aquí nunca se sabe —dijo Claire—. No me sorprendería si esos Picassos en la pared fueran auténticos —señaló los cuadros colgadas dentro de exhibidores de cristal por toda la cafetería.

—Son auténticos —dijo la chica del corazón rosa.

La de la mariposa traía pantalones de pana rojos y una camiseta con un diablito que decía DADDY'S LITTLE GIRL. La del corazón traía jeans a rayas blancas y azules, como los de los conductores del tren, y una camiseta negra que decía I ♥ CARBS. Ambas tenían rayitos amarillos, anaranjados y verdes en el cabello. Claire sabía que eran de maquillaje para el cabello, porque muchas chicas en su otra escuela los habían usado en una época.

Claire podía sentir los ojos de Massie sobre ella, desde el otro lado de la cafetería. Intentó ignorar sus miradas de hielo y actuar como si estuviera haciendo amigas.

—¿De qué se reían? —preguntó.

La chica miró a sus amigas para ver si pensaban que era seguro seguir hablando.

—¿Vincent te da clase de arte? —preguntó.

—Sí.

—Pues es que estábamos tomándonos fotos, haciendo caras —dijo la chica, y presionó un botón de la cámara que mostró una tras otra las imágenes guardadas en la memoria para mostrárselas a Claire—. Aquí está Meena, actuando "¡llegas tarde!", y ésta es de Heather "enamorada de un florero".

Claire se rió con ellas.

—¿Quieres intentarlo? —preguntó la chica—. A ver, pon cara de "perdida".

Claire se puso lo que le quedaba de sus uñas en la boca y forzó las comisuras de los labios hasta la barbilla haciendo resaltar las venas del cuello. Abrió los ojos todo lo que pudo y fijó la mirada hacia la derecha, como si hubiera escuchado un sonido aterrador.

El flash se disparó, y las chicas se carcajearon. La que llevaba la camiseta de FCUK se rió tanto que se le salió la leche por la nariz.

Claire se fijó a ver si Massie seguía vigilándola, y así era.

—Me llamo Layne —dijo la chica de la cámara. Claire pensó que era una versión femenina de Tom Cruise, por la nariz grande, los ojos verdes y la sonrisa ligeramente chueca. El cabello alborotado y con trenzas era lo único que parecía separarla de una carrera como doble del actor.

—Ellas son Heather y Meena —dijo Layne.

—Hola —dijo Heather con una sonrisa.

—Hola —Meena también sonrió.

—Yo soy Claire.

—¿No eres amiga de Massie? —preguntó Heather.

Antes de contestar, Claire se aseguró de que Massie ya no la estuviera viendo.

—Pues sí —dijo Claire en voz baja—. ¿Cómo supieron?

—Te vi con ella en la mañana. Y estás vestida como toda una Massie-quista.

Claire se alegró de no llevar la ropa con la que había llegado esa mañana, o nunca le hubieran creído.

—Es que soy nueva en la escuela, y quiero conocer a todo

el mundo —dijo Claire—. Pero al principio Massie se molestó, porque creyó que al hacer nuevas amigas la iba a abandonar.

—¿De verdad te dijo *eso?* —preguntó Layne.

—Bueno, no exactamente —Claire se mordió el labio—. Lo escribió por correo electrónico.

—*No* puede ser —dijo Meena—. ¿Qué decía?

Heather miró su reloj y se quejó ruidosamente. —Meena, tenemos que reunirnos con Lulú, para ver si entramos a su clase de corte y confección.

—No puedo creer que tengamos que irnos justo cuando empieza el chisme sobre Massie —dijo Meena.

—No se preocupen, tengo muchas más historias sobre Massie. Les contaré todo la próxima vez —dijo Claire.

—¿Lo prometes? —preguntó Meena.

—Prometido —dijo Claire con la mano en alto, como si estuviera prestando juramento. Bueno, lo que había dicho no era cierto. Pero era mejor ser mentirosa que perdedora, ¿verdad?

Después de que las chicas se fueron, Claire se dio cuenta de que seguía de pie. Se sintió rara mirando hacia abajo a Layne, quien seguía sentada.

—¿Ya comiste? —preguntó Layne—. Porque aquí tengo mucha avena, por si quieres. Está enriquecida con proteínas y la traigo todos los días de mi casa. Es una adicción.

Claire agradeció el ofrecimiento, pero la pura idea de compartir un pegajoso potaje de avena del termo de una extraña le revolvió el estómago.

—No, muchas gracias —mintió Claire.

Al hablar con Layne, seguía con la mirada fija en Massie, quien se había sentado a una mesa cercana a hablar con otras amigas. Claire se removió en su asiento, incómoda, y apenas le prestaba atención a Layne.

Después de una corta visita, Claire vio cómo Massie programaba los teléfonos de algunas chicas en su celular. Alicia, Dylan y Kristen voltearon para despedirse. Claire parecía ser la siguiente en el recorrido por las mesas de la cafetería, porque caminaban directamente hacia la suya.

Wild geese that fly with the moon on their wings

These are a few of my favorite things...

Claire olió el perfume de Massie, y supo que se acercaban, pero antes de decidir si debería levantarse y huir o esconderse debajo de la mesa, las cuatro chicas habían llegado. Layne miró a Claire para ver cómo las saludaba, probablemente con la esperanza de que se las presentara. Pero no pasó nada. Pasaron a su lado sin decir palabra.

"Falsa alarma", pensó Claire.

—Vaya —dijo Layne—, Massie está *realmente* celosa.

—Te lo dije —Claire se pasó los dedos por el flequillo, sintiéndose de pronto inquieta sobre su apariencia. Pero en el momento en que Massie salió de la cafetería, se relajó.

Layne y Claire pasaron el resto del almuerzo conversando sobre lo mucho que les gustaban los viejos musicales (especialmente *La novicia rebelde, Annie* y *El mago de Oz)*, los chicos en patineta y las cámaras digitales. Odiaban el esnobismo de *Teen Vogue,* y estaban de acuerdo en que Drew Barrymore no parecía ser buena persona.

—Somos como almas gemelas —dijo Claire.

—Lo sé, tenemos que juntarnos a hacer algo —dijo Layne. Limpió una mancha del termo y lo guardó en la mochila.

Claire se sintió algo avergonzada por Layne, y trató de concentrarse en otra cosa.

—Tienes la mochila más genial que he visto —dijo.

Tenía una tapa tipo caracola en verde oscuro, que se abría como la cajuela de un *scooter*, toda cubierta con etiquetas de diferentes compañías de equipos de esquí, salvo por dos lugares, a cada lado, donde estaban los altavoces.

Layne presionó un botón en la parte superior de la mochila, y una mezcla de sonidos tecno llenó la cafetería.

Las chicas de la Coca de dieta voltearon a ver de dónde salía la música, y al ver a Layne con la mochila pegada a la oreja, perdieron interés y volvieron a sus vasos de refresco.

—Tiene un estéreo. Me costó como cincuenta dólares, ¿puedes creerlo? —dijo Layne.

—La mitad de las bolsas que he visto aquí cuestan diez veces más, ¡y *no hacen nada!* —exclamó Claire.

Layne se rió.

—Oye, este viernes en la noche, ¿quieres ir al cine, o a oír música con mi mochila, o algo así? —preguntó.

—Claro, me encantaría —dijo Claire abrazando a su nueva amiga con una gran sonrisa, pero por dentro, una pequeña y molesta parte de sí misma tenía el deseo secreto de que la hubieran invitado a sentarse en una de las mesas populares, en vez de haber estado en la de Layne.

—Pero primero tengo que preguntarle a mi mamá si puedo ir —dijo Claire.

La Academia Briarwood
Escondidas en los arbustos
3:25 p.m.
4 de septiembre

Los pesados portones de roble de la Academia Briarwood se abrieron, y un montón de chicos con sacos grises y corbatas rojas salieron del edificio hasta la enorme entrada circular para autos. Massie, Alicia y Dylan estaban escondidas al otro lado de la calle, pero gracias a los binoculares que habían tomado "prestados" del laboratorio de la escuela, sentían que casi podían tocarlos.

—Shhhhh, ya vienen —susurró Massie, ocultándose detrás de la fila de setos perfectamente recortados en donde ya estaban escondidas Alicia y Dylan.

Dylan dejó que los binoculares colgaran del cordón que llevaba en el cuello para poder desenvolver su barrita de *The Zone*. Para Massie el sonido del plástico era escandaloso, y la detuvo con un gesto autoritario.

—No creo que puedan oírme desde allá —dijo Dylan, pero Massie le puso la mano en la boca para hacerla callar.

—No lo veo —dijo Alicia en voz baja— ¿Cómo dices que es?

—Como Leo DiCaprio, antes de que engordara —dijo Massie.

—Pues todos se parecen —dijo Alicia.

—Sí, ¡pero Chris Abeley tiene el cabello rubio y despeinado! —dijo Massie.

Como la mayor parte de los guapos, Chris Abeley era un

"nombre y apellido", o sea que le decían su nombre completo. Nadie le decía sólo "Chris" ni tampoco "Abeley". Siempre era Chris Abeley.

—Mmmmerrrrr —Dylan trataba de decir algo, pero Massie no le quitaba la mano de la boca. Después de dos minutos en silencio, Dylan sacó la lengua y le lamió la palma a Massie.

—¡Fuchi! —dijo Massie, quitando la mano de inmediato.

Dylan le dio una buena mordida a su barrita de chocolate con frambuesas y le sacó la lengua con comida a Massie.

—¡Qué asco, Dylan! —dijo Massie, riéndose y limpiándose la mano con hojas de los arbustos.

—¿Qué prefieres? —preguntó Alicia, con una sonrisa traviesa—. ¿Un beso de Chris Abeley después de que se coma una bolsa de Cool Ranch Doritos y tome el jugo de un frasco de pepinillos en vinagre... o un beso de Chris Abeley después de vomitar sopa de almejas?

—Los dos —dijo Massie —. ¡Y ya cállense!

El espionaje había necesitado muchos preparativos: primero, Massie le había dicho a Isaac que tenía que ir a la biblioteca después de clases, y que no pasara por ella hasta las 4:30 de la tarde. Cuando el regreso estuvo confirmado, tuvo que planear su escape de la OCD. Como los estudiantes de ambas escuelas salían exactamente a la misma hora y estaban justo a siete minutos de distancia, tenían que salir a más tardar a las 3:13 P.M. Massie se habría conformado con las 3:14 si llevaran zapatos cómodos, pero no era el caso. Todas habían llegado a tiempo, menos Kristen, que aún no aparecía.

—Creo que ya lo vi, por allá, junto a la estatua del soldado —dijo Dylan.

—No; hay un Leo delgado en el estacionamiento para bicis —dijo Alicia, señalando hacia el frente.

—No es él. Hay Leos delgados por todas partes. Busquen uno con el cabello alborotado —dijo Massie.

—Entonces, ¿de veras te pidió que se vieran este sábado? —preguntó Alicia, mirando por los binoculares.

—Fueron sus palabras exactas, y se abren comillas: "Regresaré el próximo sábado, cuando este sendero esté abierto al público, y así podamos volver a vernos, ¿te parece?", y se cierran comillas. Y luego dijo, y se abren comillas: "Es una cita", y se cierran comillas otra vez —dijo Massie.

—¿Y te estaba mirando a los ojos cuando te dijo que era una cita? —preguntó Dylan.

—Totalmente, incluso me guiñó un ojo —Massie dejó que los binoculares le colgaran del cuello, y miró a sus amigas—. Un *guiño,* chicas.

Alicia y Dylan también soltaron los aparatos y voltearon a verla. Fue como si acabara de decirles que se iba a casar.

—¡Increííííííble! —exclamó Alicia.

Las tres se abrazaron y brincaron de alegría.

—Bueno, de hecho esto no parece un acecho —dijo Kristen, muy seria, esperando una explicación—. ¿Qué me perdí? —preguntó, mientras trataba de desenredar la cuerda de sus binoculares.

—Nada, solamente estábamos hablando de Chris Abeley —dijo Dylan.

—¿Otra vez? —dijo Kristen.

—¿Dónde estabas? —preguntó Massie.

—Es que nos pusieron a hacer una investigación muy

importante sobre mujeres empresarias, y no podía salir de la clase —dijo Kristen.

—Shhhh —dijo Massie.

—¿Qué tienes que hacer? —murmuró Alicia.

—Tengo que fundar mi propia compañía —contestó Kristen—. Todo el camino hasta aquí traté de pensar en alguna idea, y no se me ocurrió nada.

Alicia tomó sus binoculares y le limpió los lentes con el interior del saco. Ya había perdido el interés en el tema.

—Deberías inventar algo para la gente a la que no se le ocurre nada —sugirió Dylan.

Massie y Alicia se rieron.

—Y qué tal algo para la gente que hace propuestas realmente *estúpidas* —replicó Kristen.

—Y qué tal algo que me ayude a encontrar a Chris Abeley —sugirió Massie presionándolas.

Todas regresaron a sus puestos de observación.

—¿Estás segura de que no se ha ido? —preguntó Kristen.

—Segura.

—¿Cómo sabes? —preguntó Kristen de nuevo.

—Porque lo estoy viendo en este preciso instante —dijo Massie lentamente, como si cualquier movimiento pudiera revelar su escondite.

—¿Dónde, dónde? —preguntó Alicia.

Pero lo localizaron antes de que Massie pudiera decir algo más. Era el único que en ese momento bajaba la escalera del edificio. Massie no estaba segura si todos en la escuela se habían desvanecido, o si lo sentía de esa manera porque sólo tenía ojos para él...

Chris Abeley llevaba una mochila de cuero, bastante maltratada, y una lata de Red Bull.

—*Oh*

—*Dios*

—*Mío*

—Enfóquenlo todo lo que puedan —dijo Massie—. ¿Ya vieron el lunar que tiene justo arriba de la boca? ¿No es lo máximo?

Massie sacó un brillo de labios del saco de mezclilla, y logró ponérselo sin bajar los binoculares.

—Parece que viene hacia nosotras, ¿verdad?

—Sí, es casi como si supiera que Massie está aquí —comentó Dylan—. ¡Qué romántico! —agregó escupiendo una semilla. Sacó una bolsita Ziploc y tomó otra cereza. Sus labios enrojecidos eran la única prueba de que la bolsita había estado llena apenas unos minutos antes.

—*Shhh*, está cruzando la calle —dijo Massie.

Chris Abeley caminó directamente hacia el seto que lo separaba de las chicas, y se quedó ahí parado, de espaldas a ellas. A unas pulgadas de distancia, las cuatro chicas, con los ojos muy abiertos, se comunicaban con miradas frenéticas.

Kristen estiró la mano y fingió pellizcarle el trasero a Chris Abeley, lo que provocó carcajadas apenas reprimidas en Alicia y Dylan. Incluso Massie tuvo que taparse la boca con la mano para no explotar de risa.

MASSIE: Q ESPRA?

DYLAN: A TI

MASSIE: ☺

Massie estaba disfrutando demasiado de la idea de Chris Abeley esperándola a la salida de la escuela como para darse cuenta de que algo frío y pegajoso le chorreaba por la espalda. Alzando lentamente la cabeza sintió el chorro de líquido rosa que le caía de una lata de Red Bull. Massie tapó su teléfono con ambas manos para evitar que se mojara.

Un BMW azul, del que salía una música de guitarrazos, se detuvo frente a Chris Abeley.

—¿Cómo te fue en la hora de castigo? —gritó un muchacho desde el auto.

—¡Genial! —contestó Chris Abeley, en tono burlón—. Me la pasé mejor que nunca.

Levantó la mochila del suelo y aventó la lata vacía hacia el seto. Ahí rebotó en la rodilla de Alicia, que dejó escapar un fuerte quejido. Por suerte, el ruidoso solo de batería que se oía en el auto impidió que la escucharan.

En cuanto el BMW arrancó, las chicas se revolcaron en el césped muertas de risa. Con lágrimas en los ojos y las manos en el estómago señalaban el cabello mojado de Massie. Cuando finalmente recobraron la calma, la rodilla de Alicia, toda roja, las hizo estallar en carcajadas otra vez.

—Se ven ridículas —dijo Dylan.

—Mira quién lo dice —dijo Alicia, señalando el montón de semillas de cereza apiladas junto a Dylan, con los labios tan rojos que parecía el Guasón de *Batman*.

—No se ve tan mal —dijo Massie—. Alguien debería vender ese color para los labios.

Dylan sacó su cepillo plateado y se miró en el reverso.

—Tienes razón —y se mandó un besito a sí misma.

Más tarde, antes de dormirse, Massie resumió lo sucedido:

ESTADO ACTUAL DEL REINO

IN	OUT
CABALGAR	ESPIAR
ROJO CEREZA	RED BULL

La Escuela Ocd
En el baño del primer piso
9:25 A.M.
5 de septiembre

Massie y Dylan se miraban en los espejos del baño mientras charlaban.

—No puedo creer que mis labios sigan pintados de rojo —dijo Dylan tomando una toallita facial de la mesa de cosméticos junto a la ventana. Se los refregó, lo cual los enrojeció todavía más.

—Ponte brillo encima. Se va a ver bien —le dijo Massie al reflejo de Dylan en el espejo.

—No es gracioso. Mis hermanas se la pasaron diciéndome "bembona" toda la noche, y mi mamá me amenazó con cancelar mis pedidos de *The Zone* si sigo comiendo esas frutas con alto contenido de azúcar, que no son parte de la dieta —contó Dylan.

Massie se aplicó brillo dorado en los labios.

—Yo quisiera que mi maquillaje durara así —comentó.

—Tal vez Kristen debería crear una compañía de cosméticos para su proyecto de la escuela —bromeó Dylan—. Puede vender cerezas.

—¡Qué gran idea! —aplaudió Massie, emocionada—. Haremos todos los productos a mano, usando ingredientes naturales. Tu mamá nos puede presentar en su programa de la tele para promover nuestra marca, y…

—¿Estás bromeando? —preguntó Dylan— ¿De veras crees

que es una buena idea, o sólo te estás burlando de mí? —dijo, mientras se desenredaba el cabello.

—No, es en serio —dijo Massie.

—La marca se puede llamar Corpocilio —sugirió Dylan—. Porque son productos "corporales" y van a ser hechos en "domicilios" —dijo, marcando las comillas en el aire, por si Massie no se diera cuenta de lo maravillosa que era su idea.

—Se me hace que el nombre debería ser más fascinante —dijo Massie.

Dylan trataba de quitar las hebras de cabello rojo del cepillo y echarlas al suelo, pero sin mucho éxito, porque se le pegaban como si fueran telarañas.

—Me parece que lo importante es que sea ingenioso, y se le quede grabado a la gente —insistió Dylan.

—Pues Guerlain, Dior o Clarins no suenan nada ingeniosos ni son fáciles de recordar, y les va muchísimo mejor que a marcas como Hard Candy o Urban Decay. ¿No crees? —replicó Massie.

—Quizá todo este asunto sea una estupidez —dijo Dylan—. No tenemos ni idea de cómo hacer cosméticos.

—Para eso está la Internet —dijo Massie.

—¿Crees que a Kristen le guste la idea? —preguntó Dylan.

—Le *tiene* que gustar —dijo Massie, entrando a uno de los cubículos del baño y cerrando la puerta. Fin de la discusión.

—Adelántate; me voy a tardar un poco —dijo Massie.

—Bueno —contestó Dylan.

—¡Nos vamos a hacer ricas! —cantó Massie meciendo los pies, que se alcanzaban a ver debajo de la puerta del cubículo.

—Ya somos ricas —dijo Dylan al salir—. Nos vemos en el almuerzo, Coco.

—Nos vemos, Estée —respondió Massie.

Cuando Massie estuvo segura de que Dylan se había ido, sacó su PalmPilot. Se sentía inspirada. Pensó en lo maravilloso que sería que todas en la escuela, especialmente las chicas mayores, confiaran en ella para los productos de belleza más novedosos y los consejos sobre maquillaje. Chris Abeley quedaría impresionado con su poderoso pasatiempo, y se olvidaría de la diferencia de edad. Así, nunca tendría que volver a preocuparse por cosillas sin importancia, como Claire poniendo en peligro su vida social. Se volvería intocable.

ESTADO ACTUAL DEL REINO

IN	OUT
CORPOCILIO	BODY SHOP
MUJERES EMPRESARIAS	AMIGAS PARA SIEMPRE
MAGNATE DE LOS COSMÉTICOS	DISEÑADORA DE MODAS

La Casa de Huéspedes
En la sala
5:00 p.m.
5 de septiembre

—¿Te contó mamá que tengo una piyamada esta noche? —preguntó Todd. Claire estaba recostada en el sillón blanco en forma de L, cambiando canales en la tele y comiendo helado de menta con trozos de chocolate.

—Voy a salir con mi nueva amiga Layne —contestó Claire poniendo los ojos en blanco.

Todd trató de meter una cuchara en el envase de helado, pero Claire lo evitó de un codazo.

—Oye, y ¿cuántos invitados tienes? —preguntó Claire, que no creía que Todd ya conociera a suficientes compañeros como para armar una fiesta.

—Once —contestó Todd—. Doce, si Stevie Levine puede escaparse de la cena de Bar Mitzvah de su hermanastro.

Todd lo intentó de nuevo: sacó la cuchara de Claire para abrirse paso, y se apoderó del trozo de chocolate más grande. Claire no protestó.

—¿Cómo es que ya tienes una docena de amigos?

—Las pasitas. Te lo dije —respondió Todd.

Kendra tocó levemente a la puerta, y entró antes de que alguien pudiera abrirle. Llevaba puesto un pantalón negro y un conjunto de blusa y suéter de cachemir celeste. Aunque no iba a salir de la casa en todo el día, se veía perfectamente arreglada.

En cuanto Claire la vio entrar, bajó los pies del sillón y se sentó bien derechita.

—Mi mamá no está —dijo.

—En realidad vine a verte a ti, Claire —le dijo Kendra con voz suave.

—¡Oh!, ¿de veras? —exclamó Claire, sorprendida.

—Lo que pasa es que cada viernes Massie tiene una piyamada, y me gustaría invitarte a la de hoy —dijo Kendra—. Eso, si no tienes otro plan, por supuesto.

—Gracias, pero estoy segura de que Massie no me quiere en su fiesta —dijo Claire.

—¿Y quién iba a quererte, hermanita? —dijo Todd.

—Cállate —dijo Claire pellizcándolo en el brazo, y empujándolo fuera del sillón. Nada de eso alteró a Kendra, que venía a lo suyo.

—Pues insisto, y Massie también. Ven a las 7:30, y no te preocupes si no tienes bolsa de dormir; en casa tenemos todo lo necesario —dijo Kendra.

—*¿Massie* insiste? —preguntó Claire.

—Así es.

—Muy bien; gracias por la invitación —dijo Claire.

—¿No ibas a ver a tu nueva...? —trató de decir Todd, pero Claire lo empujó fuera del sillón antes de que pudiera terminar.

En cuanto Kendra se fue, Claire se levantó de un salto y corrió a su cuarto. Tiró al piso la pila de ropa que estaba en la silla y se sentó frente a la computadora. En cuanto movió el ratón, su protector de pantalla de bananas bailando se desvaneció para dejar ver el fondo de pantalla, que era la foto de sus amigas de la Florida. Sarah, Sari y Mandy aparecían sentadas y saludaban desde una lancha motorizada. Tenían las mejillas aplastadas, porque los chalecos salvavidas les quedaban muy apretados, y el cabello estaba lacio por el atomizador. Se abrazaban mostrando grandes sonrisas; nada de pose. Sólo ver esa imagen hizo que Claire se sintiera mal, por no haberlas llamado desde que empezó la escuela, porque temía ponerse a llorar al oír sus voces. Estaba a punto de mandarles un mensaje instantáneo para preguntarles cómo cancelar sus planes con Layne, pero sabía que le dirían que no lo hiciera. Dirían que se olvidara de Massie y de sus presumidas amigas, y no tenía ganas de explicar por qué no iba a hacerlo. La vergüenza la hizo pensar en una excusa por su cuenta.

Claire buscó el número de Layne y marcó.

—Lo sé, Layne, esto está pésimo —dijo al auricular blanco del teléfono inalámbrico—. Sí, especialmente en un viernes en la noche —siguió, caminando con cuidado por el cuarto para evitar los rechinidos del piso de madera.

—Puedo ir a ayudarte a cuidarlo, si quieres —ofreció Layne.

—Creo que no es muy buena idea —Claire se frotó la nariz—. Todd está muy enfermo, y te puedes contagiar.

—Qué lata.

Claire siguió dando vueltas por el cuarto. No sabía si Layne se daba cuenta de que estaba mintiendo.

—¿Podemos hacer algo mañana? —preguntó Claire.

—Claro. ¿Te parece bien al mediodía?

—Perfecto, gracias por ser tan comprensiva.

—No es nada —dijo Layne, y comenzó a decir algo más, pero Claire ya no la escuchó. Estaba tan nerviosa, que ya había colgado.

La mansión de los Block
En la sala
8:00 p.m.
5 de septiembre

Claire llegó a la piyamada media hora tarde porque no quería parecer demasiado ansiosa. Para entonces ya todas estaban reunidas en la sala, bailando en los sillones de cuero. Claire podía verlas por la ventana panorámica, pero cuando tocó a la puerta, nadie contestó. Pensó que no la oían, porque seguramente la música estaba muy fuerte.

Claire abrió la puerta y se asomó. —Hola —dijo, y volvió a repetir el saludo. Había un olor tibio y dulce, como de galletas con trocitos de chocolate.

—Claire, aquí estoy —respondió Kendra.

Claire entró y de inmediato sintió que se le endurecían los músculos. Se había puesto su piyama favorita, con un estampado de ovejitas en azul y blanco. Massie, Dylan, Alicia y Kristen no se habían cambiado todavía.

Se oía música pop por los altavoces colgados en cada esquina. En la mesa de vidrio de centro había un enorme tazón de cristal lleno de palomitas de maíz, y montones de ropa desparramada por todo el piso.

—Muy bien, chicas —dijo Kendra bajando el volumen de la música—. Se acabó el descanso. Necesito que me ayuden.

Kendra comenzó a levantar prendas del piso, una por una: pantalones de mezclilla oscura, suéteres multicolores, abrigos de lana, chaquetas de nailon, camisetas estampadas de diseñador, faldas elásticas y abriguitos de punto para perros. Kendra las observaba por un momento, después las doblaba rápidamente en rectángulos perfectos y las ponía en una de las muchas cajas de cartón que había en el piso. Las chicas la ayudaban sin muchas ganas. Claire estaba hipnotizada. Nadie se había dado cuenta de su presencia, excepto Bean, que corrió a olerle los pies.

—Hola, Bean —y se agachó a darle unas palmaditas, pero, antes de que Claire pudiera tocarla, Massie le silbó, y Bean corrió hacia su dueña.

—Claire, qué bueno que pudiste venir —dijo Kendra.

Massie la miró de pies a cabeza. —Linda piyamita —dijo, y siguió doblando ropa.

Las otras chicas ni siquiera voltearon a verla.

—¿Por qué no quieres *ese* suéter? Lo acabas de comprar —le preguntó Massie a Dylan.

—¡Me hace ver gorda! —Dylan volvió a mirar el suéter de cachemir blanco con la etiqueta aún colgando de una manga—. ¿Cómo se me ocurre comprar algo blanco?

—Déjame verlo, a lo mejor yo me lo quedo —dijo Kristen revisándolo, pero las chicas dijeron que no con la cabeza.

—A la caja, entonces —dijo Kristen, quitando la etiqueta con el precio de 300 dólares y dándole el suéter a Kendra.

—¿Qué hacen? —finalmente preguntó Claire.

Nadie contestó, hasta que Kendra se aclaró la garganta para indicar que tenían que responderle, y pronto.

—Cada año hacemos una subasta aquí, para recaudar fondos para las becas de la OCD —dijo Massie.

—Pues veo que se están deshaciendo de un montón de cosas —dijo Claire.

—Por supuesto. Todo esto es de la temporada *pasada* —dijo Alicia—. Después de que acabemos, vamos a ir de compras para reemplazar todo con cosas nuevas.

Claire se sintió completamente fuera de control, como la vez que respondió al saludo de Andy Jeffries (su amor de sexto grado) cuando éste en realidad había saludado a Becky Manning. Era la misma sensación de despiste, de no saber cómo reaccionar. Ella había usado el mismo overol de Gap durante un año y medio, hasta que sucedió lo de la pintura roja.

Nadie le había dicho que la ropa era como la leche o el queso, con una fecha de vencimiento y una corta vida en los estantes de las tiendas. Ella solamente tiraba su ropa cuando se manchaba o se rompía, o cuando ya no le quedaba.

—Yo también puedo donar cosas —ofreció Claire.

—¡No, gracias! —dijeron todas al mismo tiempo.

Claire inclinó la cabeza y arrugó el entrecejo.

—La idea de la subasta es *ganar* dinero —dijo Alicia, poniendo los ojos en blanco.

—Ya lo *sé* —dijo Claire—. Voy por unas cosas y no me tardo.

La mansión de los Block
En la despensa
9:15 p.m.
5 de septiembre

—No entiendo por qué te importa tanto —le dijo Massie a su mamá. Estaban en la despensa, rodeadas de latas de sopa, botellas de agua mineral, bolsas de pretzels y cajas de croquetas para perro, que Bean olisqueaba. Por alguna razón, ése era el lugar que su mamá siempre elegía para hablar cuando Massie estaba a punto de meterse en problemas.

—Es nuestra invitada, y además es una niña muy agradable. Sé que te caería bien si le dieras una oportunidad —dijo Kendra, con una mano sobre el grueso mostrador de madera y otra en su delgada cintura. Llevaba un conjunto negro de pantalón y sudadera de Juicy y un collar de perlas.

—Mamá, ¿por qué no dejas de preocuparte tanto por *ella* y empiezas a entender que tus esfuerzos por juntarnos me afectan a mí? —dijo Massie con voz temblorosa, con miedo de que, si seguía hablando, iba a estallar en llanto—. ¡Parece que te importa más su felicidad que la mía!

Massie salió corriendo de la despensa y se encerró en el baño del subsuelo decorado en blanco y amarillo. Se atomizó en la cara un poco de agua de rosas francesa, y se secó con ligeros golpecitos de la esponjada toalla amarilla, sin frotarse. Alguna vez había leído en *Seventeen* que era un atentado contra la belleza secarse la cara frotando, porque la piel se jala y se forman arrugas.

—Mass —la llamó Kristen detrás de la puerta—, vamos a la cabaña a prepararnos. ¿Vienes?

Massie se aclaró la garganta y forzó la voz para sonar normal. —Vayan, chicas, ahorita las alcanzo.

Massie se sentó sobre la tapa del inodoro a leer ejemplares atrasados de *Town & Country* por unos diez minutos hasta que oyó que su mamá subía a dormir. Cuando abrió la puerta, Bean la estaba esperando.

Massie estaba a punto de salir hacia la cabaña cuando oyó un ruido que venía de la sala. Se quitó las sandalias para no hacer ruido, y cargó a Bean para evitar el tintineo de los dijes de su collar Gucci. Pensó que Kristen había regresado a sacar algunas cosas de las cajas, como había hecho el año pasado, y quería atraparla con las manos en la masa.

Massie se asomó a la sala. Bandas de luz amarilla que venían de las lámparas del patio rompían la oscuridad y le permitían ver la caja. Al verla, ahí sola en medio de la sala, una oleada de soledad le llenó el pecho. Era el mismo sentimiento que tenía en Navidad, cuando bajaba a ver el árbol a medianoche. Algo en su apariencia, alto y orgulloso, decorado con luces y rodeado de regalos, le parecía muy deprimente. Como ver a alguien muy arreglado y que no tiene adonde ir. Massie oyó que algo rozaba el cartón y se inclinó para ver mejor. Era Claire, arrodillada junto a la caja y llenándola con sudaderas ya dobladas, con una sonrisa de satisfacción y orgullo.

—Al menos las dos están acompañadas —susurró Massie en la oreja de Bean, que parecía la de un murciélago. La abrazó y se alejó sin hacer ruido.

La mansión de los Block
En la cabaña 3
10:15 p.m.
5 de septiembre

—Perdón por la tardanza —Massie apagó la linterna y dejó a Bean en el piso—. Es que llevé a Bean a dar un paseo.

Cuatro bolsas de dormir estaban acomodadas como los radios de la rueda de una bicicleta, y la cama de piel de borrego de Bean estaba en el centro. En el regazo Dylan tenía un tazón de vidrio lleno de galletitas de soya con sabor a mantequilla y Junior Mints (la combinación perfecta). Estaban justo en medio de una intensa ronda de "¿Qué preferirías?"

—Bueno, ¿qué preferirían? —preguntó Alicia— Una enfermedad que las hiciera roncar todo el tiempo, o una enfermedad que las hiciera caerse cada diez segundos.

—Ronquidos —dijo Dylan.

—Ronquidos —dijo también Kristen.

—¿Qué preferirían, una larga cola de cerdo en espiral o un par de orejas de Chihuahua en la cabeza? —preguntó Kristen.

—La cola sería como si tuviera una gran línea del calzón marcada todo el tiempo, así que prefiero las orejas de perro —dijo Alicia.

—¡Yo, la cola! —dijo Dylan—. Ya parezco una cerdita, así que quedaría bien —dijo, metiéndose un puñado de galletitas y Junior Mints en la boca.

—*¡No* pareces una cerdita! —protestó Kristen.

—Pero sí hueles como una —Massie trataba de aligerar el ambiente. Lo *último* que necesitaba era que la noche se convirtiera en otra sesión tipo doctor Phil, sobre Dylan y sus inseguridades.

—Yo tengo una —dijo Massie—. ¿Qué preferirían ser? a) Alguien sin ningún amigo, o b) alguien con muchos amigos, pero que te odian en secreto.

Las otras chicas pensaban en las opciones, pero Massie supo de inmediato la respuesta: sería el inciso b, sin lugar a dudas. En ambos casos, no tendría amigos, pero al menos en el segundo no estaría sola.

—Yo, sin duda, prefiero ser perdedora sin amigos —Alicia se acomodó el cabello—. No me gustaría vivir una mentira.

—Yo también —dijo Kristen.

—Yo, igual —agregó Dylan—. ¿Y tú, Massie?

—Perdedora sin amigos, por supuesto —Massie puso los ojos en blanco para que no hubiera ninguna duda.

Claire entró en la cabaña con su estuche de discos compactos. Massie la vio examinar las bolsas de dormir.

—Qué bien se ven acomodadas así —dijo, con las mejillas rojas por correr de una casa a la otra—. Mucho mejor que como las acomodaron mi hermano y sus amigos; deberían verlos —Claire se detuvo en medio de la frase cuando contó cuatro bolsas de dormir en vez de cinco.

Massie observó cómo se le arrugaba el mentón por la cólera que sentía.

—Claire, ¿qué preferirías *tú*? —le preguntó Alicia—. ¿Ser una perdedora sin amigos o alguien con muchos amigos a los que secretamente no les caes bien?

—Alguien con muchos amigos a los que secretamente no les caigo bien —contestó rápidamente Claire.

Las chicas se miraron entre sí, y Massie no podía decidir si creía que la honestidad de Claire era valiente o estúpida.

—Felicidades, ya vas a mitad del camino. Sólo te falta la parte de los "amigos" —le dijo Alicia fríamente.

Alicia miró a Massie buscando su aprobación, pues su comentario había sido de lo más malvado, pero no consiguió nada. Massie estaba concentrada en el cierre de su bolsa de dormir, que fingía tratar de destrabar.

—Es una broma, Claire —dijo Alicia—. No hablaba en serio.

—Ah, ¿era una broma? —dijo Claire con el rostro enrojecido, pero con voz tranquila—. Donde yo vivía las bromas son graciosas.

Kristen se rió, pero se calló enseguida al ver la mirada fulminante de Alicia.

—¿No hay otra bolsa de dormir? —preguntó Claire dirigiéndose a Massie—. Tu mamá dijo que tenían más.

—En el clóset junto al baño —dijo Massie, y nadie se movió por un segundo.

—¿A que no adivinan qué tengo aquí? —Dylan rompió el silencio y ondeó un pedazo de papel—. Es el teléfono del guapo que está en coma.

—¿De veras? ¡Pues déjame llamar! —Alicia le quitó el papel, y las chicas se arrimaron a ella para poder escuchar—. No puedo creer que estoy a punto de hablar con el actor más guapo de *The Young and the Restless* —murmuró Alicia.

—¡Aló! —contestó una voz de hombre.

—Es *él* —dijo Alicia en voz baja—. Sí, soy May, tu difunta

esposa. Sé lo que tú y Melanie hicieron, y en cuanto salgas de ese coma, te voy a perseguir por el resto de tu vida —las chicas se rieron hasta que les dolió el estómago.

Massie volteó a ver a Claire, que estaba acomodando su bolsa de dormir fuera del círculo.

Entonces se oyó otra voz masculina. —¿Quién es, querido? —preguntó.

Alicia colgó y gritó: —¡No puede ser, el guapo del coma es homosexual!

—Alguien debería decirle a su amante, Melanie, que su novio no es el que dice ser —comentó Kristen.

—Hablando de chicos, no puedo creer que mañana vayas a montar a caballo con Chris Abeley a los Establos Galwaugh —Dylan rodó en su bolsa de dormir para quedar boca abajo, con las rodillas dobladas y la barbilla en las manos. Las demás tomaron la misma posición para quedar frente a frente.

—¿Qué te vas a poner? —preguntó Kristen.

—No lo sé, realmente no he pensado en eso —dijo Massie.

Claire estuvo a punto de gritar "Ay, por favor, si te he visto probarte ropa toda la semana desde la ventana de mi cuarto".

Pero no lo hizo.

—¿Y si trata de besarte? —preguntó Dylan— Ya *tiene* quince, acuérdate.

—Pues lo beso yo también —Massie se puso una buena cantidad de brillo de labios, como si fuera una experta seductora, y comenzó a practicar besando la almohada.

Los silbidos y las risas llenaron la habitación.

Por fin, Massie se despegó de la almohada y se acomodó el cabello despeinado.

—Con que te pases unas cuantas cerezas por los labios quedarás perfecta —Dylan miró a Kristen con las manos unidas, como si fuera un mendigo.

—Dejen ya de fastidiarme con ese rollo de la compañía de cosméticos caseros —dijo Kristen—. Me tienen harta.

—Sí, Dylan, quizá la idea de ser rica y poderosa no es lo que le gusta a Kristen —dijo Massie.

—Por el momento, lo único que me interesa es sacar una "A" —dijo Kristen. Miró las caras suplicantes de sus amigas y suspiró—. Bueno, digamos que acepto, ¿cómo se llamaría?

—¿Qué les parece Corpocilio? —dijo Dylan volviendo al nombre que ya había propuesto en otra oportunidad.

—Yo creo que el nombre debe ser algo más glamoroso —dijo Massie—. ¿No crees, Kristen?

Dylan puso los ojos en blanco y le dio las últimas mordiditas, como de ardilla, a su galletita de soya.

—Totalmente —asintió Kristen.

—¿Qué les parece Resplandeciente? —preguntó Claire.

Nadie respondió.

—Ya sé. ¡Glambición! —anunció Massie.

—Me encanta —Kristen sonrió.

—A mí también —añadió Alicia.

Dylan y Claire se quedaron calladas.

—Muy bien, hagámoslo —Kristen alzó su botella de Perrier y todas la siguieron.

—¡Por Glambición! —chocaron las botellas y tomaron un trago de agua mineral con sabor limalimón. El gas les hizo cosquillas en la garganta, y todas dejaron escapar grandes *ahhhhhs* cuando acabaron de beber.

Luego se pusieron la piyama, menos Alicia, que se quedó en brasier y camiseta, y se fueron acomodando para dormir.

—¿Alguien quiere oír una historia de fantasmas? —preguntó Claire desde el otro lado de la sala.

—Claro —contestó Massie, antes de que las demás pudieran protestar.

—¿Me prestas la linterna? —le pidió Claire a Massie.

—Sip, voy por ella —dijo Massie, que se estaba portando mejor de lo normal con ella, y Claire no podía dejar de preguntarse por qué.

—¿Podemos apagar todas las luces? —pidió Claire.

—Permíteme —dijo Massie con una media sonrisa.

Cuando ya estaban a oscuras, Claire se puso la linterna en la barbilla y la encendió.

—Con ese reflejo rojo de la linterna, pareces un diablo —dijo Alicia.

—Soy el Diablo —susurró Claire con voz grave y malvada—. Ahora, quiero que todas se acuesten.

—Sí, instructora —dijo Kristen con sonsonete.

Se oyeron risitas.

—Muy bien. ¿Están listas? —preguntó Claire sin esperar respuesta—. En una noche muy oscura, un muchacho llevaba a su novia al cine en su auto y comenzó una tormenta eléctrica. De pronto, cayó un rayo y se apagaron las luces... Fue un apagón total —hizo una pausa, para mayor efecto dramático, antes de seguir—. Entonces, decidieron detenerse a orillas de la solitaria carretera para esperar a que pasara la tormenta. Empezaron a besarse, porque no tenían nada mejor que hacer, cuando, de repente, el radio del carro se encendió solo y…

Alicia interrumpió a Claire, bostezando la palabra "aburrido".

Dylan hizo como que roncaba, y Kristen se le unió.

Ahora las cuatro estaban muertas de risa, y Claire se quedó acostada de espalda, viendo el ventilador del techo.

Cuando se cansaron de reírse, el silencio llenó la habitación.

—Estoy cansada —dijo Dylan. Y todas se quedaron calladas.

Massie odiaba esa parte de las piyamadas, cuando todas se iban cayendo de cansancio. No le gustaba ser la última en quedarse dormida. Normalmente le hacía a alguna de las chicas una pregunta que necesitara una larga respuesta, y mientras hablaban, trataba de quedarse dormida. Pero antes de que Massie tuviera oportunidad de hacerlo, Alicia rompió el silencio haciendo un ruido de pedo con la boca.

—¡Claire! —exclamó— ¿Fuiste tú?

Las chicas se rieron, pero ya medio dormidas.

—Yo creí que habían sido tus tetas al rozarse —dijo Claire.

Massie hundió la cara en la almohada para ahogar su risa.

—Más bien, se me hace que fueron tus muslos que se rozan en el camino de regreso a tu pueblito —replicó Alicia.

No se dijo nada más. Massie no sabía si ya se habían dormido o lo estaban fingiendo.

Contuvo el aliento por un segundo para escuchar a Claire llorando o quejándose, pero no se oyó nada.

Massie se sintió incómoda, sin saber bien por qué, y sabía que no iba a poder dormirse de inmediato. Abrazó a Bean, y pensó en la primera vez que lo había visto en la vidriera de la tienda de mascotas. Bean era del tamaño de un hámster, pero estaba en una jaula con dos labradores dorados y un terrier Jack Russell. Cada vez que la perrita agarraba alguno de los juguetes de la jaula, los otros perros le ladraban para que lo soltara. Pero Bean no se rendía, aunque la empujaran y mordisquearan se aferraba al juguete con todas sus fuerzas. Era lo que quería y no lo iba a soltar. Massie admiró a la perrita por luchadora, pero a la vez se sintió lastimada, conmovida de una manera inexplicable. Y esa noche, le pareció sentir eso mismo por Claire.

Massie oyó que alguien se movía, y entrecerró los ojos para que no se diera cuenta de que estaba despierta.

Era Claire. Estaba enrollando su bolsa de dormir sin hacer ruido. Se detenía cada cierto tiempo a ver si nadie se había dado cuenta, y seguía enrollando hasta terminar de empacarla. Entonces salió cuidadosamente por la puerta delantera.

Massie esperó hasta asegurarse de que nadie más estaba despierta, y se levantó. —¿A dónde vas? —susurró desde la puerta con Bean en brazos, viendo a Claire caminar descalza en el césped húmedo.

—No puedo dormir; me voy a casa —Claire hizo una pausa—. Bueno, más bien, voy a *tu* casa de huéspedes.

Massie volteó a ver a sus amigas dormidas y cerró la puerta antes de continuar.

—¿Por qué no te quedas? Sólo estábamos bromeando. Lo hacemos con todo el mundo.

—Prefiero dormir en un colchón en vez del suelo —mintió Claire, y Massie se dio cuenta de que estaba tratando de no ponerse a llorar.

—Bueno, si de veras *tienes* que irte, llévate la linterna. Espérame, voy a traerla.

Massie regresó a la cabaña, confundida. No era *su* culpa,

si Claire tenía problemas para relacionarse, ¿cierto? Entonces, ¿por qué sentía un extraño deseo de ayudarla?

Massie encontró la linterna donde Claire había intentado contar la historia de miedo, y salió a dársela. —Ya la encontré —susurró, pero la única respuesta que oyó fue el sonido de los dijes del collar de Bean.

—¿Claire? —dijo en medio de la noche—. ¡Claire!

El sonido de sus palabras le hizo eco en la cabeza y sonó muy extraño, como si la voz no fuera suya. Tal vez porque había llamado a Claire con un poquito de preocupación, quizá porque era la primera vez que llamaba a alguien y no le respondían, o quizá porque se sentía como un árbol de Navidad, sola en la oscuridad, sin nadie que la admirara.

LA CASA DE HUÉSPEDES
EN EL CUARTO DE CLAIRE
12:18 A.M.
6 de septiembre

—Disculpa —dijo Claire en voz baja—. ¿Podrías *salir* de mi cama? —y empujó al extraño con el cabello pintado de azul, que no dio señales de vida.

—Oye, despierta.

—Hmmm —el chico bostezó y rodó del otro lado de la cama.

—¡Eh! —exclamó Claire—. *¡Levántate!*

Trató de levantarlo, pero parecía una bolsa de arena y no un chico de diez años. Claire lo empujó con el pie hacia la orilla de la cama, hasta que se oyó un golpe seco en el piso.

—¿Qué te pasa? —le preguntó el chico.

—Toma el cobertor y vete a buscar un lugar en la sala con mi hermano y sus demás amigos —le dijo.

En cuanto se fue, Claire se envolvió en su edredón hasta quedar como un rollo de sushi gigante. Sacó las manos y buscó su cámara. Se recargó en la cabecera de madera y se tomó una foto, a la que le puso el nombre de "Tocando fondo", por lo triste y patética que se veía. Tenía la mirada perdida y una expresión que decía "foto de expediente criminal", en lugar de "me la estoy pasando de maravilla en Westchester; ojalá estuvieran aquí". La foto no era para sus amigas de la Florida; era sólo para ella. Claire prometió mirarla cada vez que quisiera creer que ella y Massie podían ser amigas.

—No me importa si Massie siempre se divierte. No me importa que hagan su compañía de cosméticos. No me importa que crean que nunca estaré a su altura. ¡Ellas se lo pierden! Yo seguiré adelante —se dijo a sí misma.

Claire repitió esas palabras una y otra vez, con la esperanza de empezar a creérselas a la mañana siguiente.

La mansión de los Block
En el jardín
11:50 a.m.
6 de septiembre

Claire se sentó en un bloque de cemento junto a una estatua de piedra de un león. Había otro igual a su izquierda, pero escogió sentarse a pleno sol.

Llevaba el pantalón acampanado de mezclilla oscura que la enfermera le había dado y una camiseta blanca con pedrería celeste alrededor del escote. Era lo más cercano que tenía al tipo de ropa que usaba Massie, y probablemente eso era lo que Layne estaba esperando. Por suerte, el pantalón era bastante largo y cubría casi por completo los Keds.

Un Jaguar negro se detuvo a la entrada de la cochera, pero Claire no reparó en la presencia de Layne. Estaba demasiado ocupada tratando de ver bien al atractivo chico que venía en el asiento del pasajero. Con el cabello alborotado y la chaqueta de cuero café se identificaba a un tipo guapo, peligroso e inesperadamente sensible.

Layne la saludaba gesticulando desde el asiento trasero, mientras recogía sus cosas. Claire contestó con una mano y con la otra se alisó el flequillo lo mejor que pudo.

—Claire, te presento a mi papá, Eric —dijo Layne al bajar.

—Mucho gusto —le dijo Claire al conductor.

—Y éste es mi hermano, Chris —Layne señaló al chico del asiento delantero.

Chris se inclinó para poder verla.

—¿Qué tal? —Chris se quitó el cabello rubio de los ojos y le dedicó a Claire una brillante sonrisa.

—Todo bien —Claire se odió por esa respuesta tan tonta.

—Linda piscina —dijo Chris.

—Gracias —Claire se miró el pantalón y dejó escapar una risita, para no sonar presumida.

—Layne, recuerda que no puedes nadar —dijo Eric—, hasta que te cures de la infección en el oído.

—No te preocupes —Layne guiñó un ojo.

—Layne Jane Abeley, hablo en serio. *¡Nada de nadar!*

A Claire se le prendió el foco. El apellido de Layne era Abeley. Su hermano era Chris, tenía que ser Chris Abeley. El famoso y único Chris Abeley.

Claire se acercó al auto. —¿Estás en Briarwood?

—¡Sí, en primer año! —respondió Chris, con un entusiasmo exagerado.

—Mi hermano acaba de entrar a quinto grado. Es mucho más chico que tú; se llama Todd Lyons, por si llegas a conocerlo —Claire se dio cuenta de que se estaba yendo por las ramas, y no sabía si era porque los ojos de Chris eran tan azules o porque no podía creer que estaba hablando con el tipo del que Massie estaba enamorada. Chris era casi como una estrella de cine.

—Claro que conozco a Todd. Me cae de lo mejor. Le dio al director en el ojo con una pasita y luego se escapó. Y resulta que me acusaron a mí, porque yo estaba ahí cuando pasó eso y no pude contener la risa —dijo, y esta vez el entusiasmo era real—. Tuve que quedarme castigado después de clases, pero valió la pena.

—Eso es típico de Todd. ¿Quieres saludarlo? Está en la piscina —dijo Claire.

—Claro —dijo Chris—. Papá, no tardo.

En cuanto Claire llegó a un lado de la casa, se asomó para estar segura de que Massie siguiera en su cuarto. En cuanto la vio en la ventana, hizo todo lo que pudo para llamar su atención.

—¡Todd, TODD! Mira quién está aquí! —exclamó. No le importaba tanto que la oyera su hermano, con tal de que Massie se enterara.

—Parece que ya se siente mejor —dijo Layne con una sonrisa sincera.

Claire tardó un instante en darse cuenta de qué hablaba Layne. —Ah, sí, por suerte ya está bien.

—Oye, amigo —dijo Chris Abeley al ver a Todd sobre un delfín inflable en el agua.

Claire vio que Massie abría las cortinas de su cuarto. Era el momento de empezar la función.

—Ay, Chris, tienes algo asqueroso en el cabello —dijo Claire acercándose y mirándolo a los ojos—. Déjame quitártelo —y con la mano peinó lentamente su largo flequillo hacia un lado de la frente, y luego le pasó los dedos por los mechones disparejos. Arriba, las cortinas del cuarto de Massie se cerraron.

—¿Ya lo quitaste? —preguntó Chris.

—Sí, ya. Lo bueno es que dicen que cuando se te pega algo asqueroso en el cabello es buena suerte —dijo Claire.

Nunca pensó ser el tipo de persona que utilizaría trucos como ése, pero tampoco se imaginaba estar en una situación en la que los necesitara. Claire se sintió complacida, pero también algo incómoda consigo misma.

—Bueno, tengo que irme —dijo Chris—. En la tarde voy a montar a caballo.

Cuando Chris se fue, Layne cortó un diente de león, cerró los ojos y sopló la pelusilla al aire.

—¿Quieres pedir un deseo? —le preguntó Layne. Cortó otra flor y se la dio a Claire.

—Vaya que sí —cerró los ojos con fuerza y sopló todo lo que pudo—. Ya está. Tu hermano me cayó bien.

—Sí, es genial —dijo Layne—. Deberías ver lo contenta que está Fawn ahora que Chris regresó del internado.

—¿Quién es Fawn? —preguntó Claire—. ¿Tu perrita?

—No exactamente —dijo Layne—. Es la guapísima novia de Chris. Están juntos desde el séptimo grado.

En cuanto Claire escuchó eso, buscó más dientes de león.

—¡Estas florecitas son lo máximo! —dijo, con las manos llenas de tallos verdes y resbalosos—. ¡Sí funcionan!

Caminaron por la hondonada en el bosque detrás de la casa, tomando fotos de los riachuelos, de ellas mismas y de los bichos que encontraban. Se sentaron en el tronco de un árbol caído para que Layne pudiera comer avena del termo, mientras Claire la miraba, algo asqueada y con antojo de gusanos de gomita.

Pensó en la pregunta de "qué preferirían" que Massie había hecho en la piyamada, lo de elegir entre no tener amigos, o tenerlos, pero que te odien en secreto, y deseó que hubiera habido un inciso c) tener un amigo verdadero aunque los demás te odien abiertamente. Claire habría elegido eso.

La mansión de los Block
En el cuarto de Massie
12:45 p.m.
6 de septiembre

—¿Por qué iba a inventarlo? —gritó Massie en su celular. Estaba en medio de una fuerte discusión en conferencia con sus tres amigas.

—Es que no puedo creer que la lenta Layne sea la hermana de Chris Abeley —dijo Dylan.

—¡Y yo no puedo creer que Claire le estuviera acariciando el cabello! —Alicia sonaba enojada.

—Si hubiéramos salido de tu casa una media hora más tarde, habríamos visto todo —dijo Kristen.

Massie se miraba en el espejo, preguntándose cómo se vería con flequillo. Se dobló un mechón de cabello a la mitad sobre la frente y lo aseguró con un broche. Dio un paso atrás, y trató de verse a través de los ojos de Chris. *Quién sabe,* tal vez le gusten los flequillos. Pero decidió que se veían como si tuviera puesta una visera, y lo soltó.

—Un momento, ¿no estás pensando que le gusta Claire, verdad? —preguntó Dylan.

—Imposible —dijo Massie—. ¿Cierto?

—Ay, por favor... Le presta atención a Claire sólo porque es la primera persona en ser amable con su hermana —dijo Dylan.

Massie estaba a punto de preguntarle a Kristen qué pensaba de toda la situación, cuando se escuchó una voz al fondo que decía: —Kristen, ya pasaron seis minutos.

—Ya lo sé, mamá, ya iba a colgar —contestó Kristen—. Bueno, gracias por ayudarme con la pregunta de la tarea, ya la entendí. Te hablo después, nos vemos —siempre hacía eso cuando su mamá la descubría hablando por teléfono más de los cinco minutos que tenía permitido.

—¿Qué vas a hacer? —preguntó Alicia con voz algo temerosa.

—Lo que mi nueva mejor amiga Layne quiera —dijo Massie—. Tengo que irme. Chris Abeley se fue de mi casa hace veinte minutos, ahorita ya debe estar en Galwaugh. No me lo quiero perder. ¡Deséenme suerte! —y colgó el teléfono sin despedirse. Diez minutos después y una última mirada al espejo y Massie estaba lista. Llevaba su saco de montar verde, hecho a medida, y su fusta de Hermès, que le daban el extra de confianza en sí misma que necesitaba, además de su guión para la conversación.

PUEDO HABLAR CON UN QUINCEAÑERO DE...	NO PUEDO HABLAR CON UN QUINCEAÑERO DE...
PS2, XBOX, GAMECUBE	NINTENDO
FIESTAS EN CASA	FIESTAS DE CUMPLEAÑOS
LAYNE, SU GENIAL HERMANA	LA LOCA DE LAYNE (SU HERMANA OBSESIONADA CON LA AVENA Y FANÁTICA DEL EJÉRCITO DE SALVACIÓN)

La oficina principal de los Establos Galwaugh era muy Ralph Lauren. Por fuera era una cabaña rústica de troncos, y por dentro, *muy* estilo rancho de Aspen, con cobertores indígenas multicolores sobre grandes sillones de cuero y libros antiguos de pasta dura en libreros de madera. Incluso en pleno verano había un penetrante aroma a pino. Para Massie era como su segundo hogar. Se registró y, como si no le importara mucho, le preguntó a la recepcionista en qué sendero estaba Tricky (con Chris Abeley). Cuando supo que era Shady Lane, corrió a los establos por Brownie.

—¿Lista para tu primera cita en parejas? —le preguntó Massie—. ¿Tienes idea de lo bien que te ves junto a Tricky? ¿Y qué tal nos vemos Chris y yo juntos? —dijo, mirando a su alrededor para asegurarse de que él no pudiera oírla—. Tú no crees que le guste Claire para nada, ¿verdad? —susurró—. Es demasiado simplona para él, ¿cierto?

A diferencia de Bean, Brownie no era muy conversador, pero sí era todo oídos.

A ambos lados de Shady Lane había filas de altísimos pinos, y siempre estaba oscuro y muy fresco. Massie hubiera querido ponerse el saco largo y los guantes de montar, porque sabía que los pinos bloqueaban la luz del sol en esa época del año, pero no quería que Chris pensara que había puesto demasiada atención en su ropa. Quería parecer totalmente relajada y espontánea.

—¡Yuju! —se oyó un grito detrás de ella.

Claro, eran Chris Abeley y Tricky, que se estaban acercando rápidamente.

—¿Cómo llegaste detrás de mí? —gritó Massie por encima del hombro, y le dio a Brownie con la fusta para ganar velocidad.

—Estaba escondido en los arbustos —dijo Chris Abeley.

—¿Oíste lo que le decía a Brownie? —preguntó Massie, rogando que la respuesta fuera un no.

—¿No era que no hablabas con tu caballo? —sonrió Chris—. ¡Ajá, te pillé!

A Massie no le quedó más que reírse.

—¡El último en llegar al lago habla con los caballos! —exclamó Chris—. Y nada de atajos —y se fue al galope.

A Massie le encantaba cómo montaba Chris: con una mano en la gorra de béisbol de los Yankees de Nueva York que llevaba puesta, y la otra en las riendas de su yegua.

—Muy bien, Brownie, ¡a por ellos! —dijo Massie. El caballo relinchó y se lanzó en pos de Tricky.

Massie alcanzó a Chris Abeley y estiró el brazo lo más que pudo. Casi se le cae la pulsera de dijes, pero dobló un poco el brazo para evitar que se resbalara. Al alcanzar al muchacho, gritó "¡Cuidado!" antes de quitarle la gorra. En lo que parecía un solo movimiento, se quitó el casco, lo aseguró a la silla de montar y se puso la gorra sobre el cabello despeinado.

Había aprendido ese truco en su segundo curso de equitación, pero él no tenía por qué saberlo. Massie supo por el brillo en sus ojos que había pasado esa prueba. Era tiempo de dar el siguiente paso.

—¿Y a ti, qué te gusta hacer?

—Estar con mis amigos, oír música y, ya sabes, me gusta fiestear cuando mis papás salen de viaje —dijo con una sonrisita pícara.

—¿Qué quieres decir con *fiestear?* —preguntó Massie temerosa de la respuesta, porque significaría que, como su futura novia, se esperaría de ella que hiciera lo que él hacía para fiestear, y no estaba segura de estar lista para hacer eso (y ni siquiera para saber lo que "eso" quería decir).

—Pues, ya sabes, divertirse —dijo él.

—Claro —dijo Massie.

Se metieron más en lo profundo del bosque. Tricky comenzó a resoplar y a mover la cabeza como diciendo sí y no, como si una mosca la molestara, pero no era eso. La yegua seguía lanzándose hacia adelante queriendo correr más, pero Chris sujetaba las riendas para ir al trote, al lado de Brownie y Massie. Eso era un buen signo. Para Massie, quería decir que se la estaba pasando bien y no quería irse. Era el momento perfecto para lanzar la gran pregunta.

—Dijiste que te apellidabas Abeley, ¿verdad? —preguntó entrecerrando los ojos, esperando que ese gesto la hiciera parecer sincera.

—Sí.

—Y, de casualidad, ¿no eres pariente de Layne Abeley? —preguntó Massie.

—Es mi hermana menor.

—Eso pensé —dijo, dándose una palmada en el muslo—. ¡Layne me cae tan bien! De hecho, estuvo en mi casa en la mañana.

—¿Ésa era *tu* casa? —dijo Chris Abeley—. Yo también estuve ahí. Mi papá la dejó ahí y luego me trajo —hizo una pausa—. Oye, pensé que su amiga Claire era la que vivía ahí.

—Ja, ja, qué divertido, pero no, para nada; lo que pasa es que vive en nuestra casa de huéspedes. Digamos que estamos ayudando a su familia a pasar una época difícil —y se frotó el pulgar contra los dedos índice y mayor para indicar que era asunto de dinero.

—Ah, vaya —dijo Chris, y sonaba como si lamentara la situación—. Bueno, pues tienes suerte, porque parece una chica muy chévere, y su hermano es todo un salvaje. Me recuerda a mí mismo, cuando tenía su edad.

—¿En serio? —Massie sacó una liga del bolsillo, y con unas cuantas vueltas de la muñeca se hizo una cola de caballo, que rebotaba arriba y abajo con el trote.

—Me encanta cuando las chicas hacen eso —dijo Chris.

—¿Qué? —preguntó Massie.

—Esa cosa rara que hacen con el cabello —dijo, retorciendo sus largos dedos en el aire. Cuando bajó la mano, se quedó viéndola y dejó que su sonrisa fuera desapareciendo lentamente. Massie notó que el gesto en verdad le encantaba.

Se preocupó un poquito al ver su expresión de cachorrito. Era como si Massie le estuviera gustando mucho, demasiado rápido. Como no tenía una lista que le dijera qué hacer en momentos complicados, hizo lo que se le ocurrió: cambiar de tema.

—Y, ¿qué pasó con nuestra carrera? —preguntó—. A prepararse, listos...

—¡YA! —gritó Chris, antes de lanzarse a galope.

—¡TRAMPOSO! —gritó Massie.

—¡PERDEDORA! —replicó Chris.

Perdedora era una palabra que no se le podía decir a Massie, ni siquiera en broma. Se inclinó hacia adelante para cortar mejor el viento, y obligó a Brownie a correr lo más rápido que pudiera. Sus cascos resonaban en el sendero, quebrando ramitas y levantando polvo.

—Parece que eres tramposo y *también* perdedor —dijo Massie, sin aliento.

—Eres bastante buena, para ser mujer —dijo, fingiendo tronarse los dedos—. Mi hermana se subió a un caballo una vez y se le saltaban los ojos en cuanto empezó a moverse.

—¿Del susto? —preguntó Massie, tratando de parecer conmovida.

—*No,* se sentía mal por el caballo —dijo Chris, poniendo los ojos en blanco.

Massie se rió, pero se detuvo cuando se dio cuenta de que Chris estaba viendo su mano.

—¿Qué? —preguntó.

Chris Abeley no contestó.

Se inclinó hacia adelante y tomó con su mano grande la delgada muñeca de Massie. Ella sintió un estremecimiento en todo el cuerpo, y se imaginó que ser electrocutada era algo parecido. Todo a su alrededor se quedó en silencio.

—¡Qué bonitos! —dijo, mientras examinaba cada dije de la pulsera.

Massie sentía la mirada de Chris directamente sobre ella, aunque ella no dejaba de ver el micrófono de plata que los Lyons le habían regalado. Apartó la mano antes de que él pudiera verlo.

—Deberías traerla contigo alguna vez —dijo Massie, y se las arregló para seguir mirando a Chris, mientras sus dedos quitaban el horrible dije plateado de la pulsera. Cuando lo logró, lo dejó caer como si fuera la envoltura de un chicle y se avergonzara de arrojarlo al suelo.

—¿A quién? —preguntó Chris Abeley, enderezándose en la

silla de montar, pero sin dejar de mirarla. Massie se sintió paralizada, como si él le estuviera robando el alma con los ojos.

—A Layne —dijo Massie—. Tráela el próximo fin de semana, y le enseño a montar a caballo.

—*Eso* sí habría que verlo —dijo Chris.

—Ya quedamos —dijo Massie.

—Muy bien —dijo Chris—. Trato hecho.

Massie se despidió con la mano y se alejó rápidamente. Quería perderlo de vista antes de que él se diera cuenta de que se había quedado con su gorra.

El salón de belleza Tranquilidad
Después de clases
4:07 p.m.
9 de septiembre

Layne se acomodó en el acolchonado asiento automático para masajes.

—Tiene cuatro velocidades —dijo la pedicura, y le entregó el control remoto. Layne no pudo tomarlo porque tenía las manos ocupadas.

—Layne, tienes que escoger *un* color —dijo Massie, como si le hablara a una niñita.

—Es que se me hace que se vería genial cada dedo de un color distinto —dijo Layne—. ¿No crees?

—No —dijo Massie.

—Bueno, creo que era una idea tonta —dijo, regresando las botellitas a la repisa cromada—. ¿Cuál te gusta a *ti*? —le preguntó.

—"Aliento de bebé" es un buen color para principiantes —dijo Massie—. Es rosa, pero no demasiado rosa, y tampoco demasiado transparente.

Las chicas metieron los pies en el agua tibia y jabonosa, y se pusieron a hojear revistas. A su alrededor, varias mujeres muy a la moda se arreglaban las uñas con las mejores manicuras de todo Westchester.

—Me da cosquillas —dijo Layne, apartando los pies cada vez que la pedicura trataba de exfoliarlos con piedra pómez.

Massie miró a la pobre mujer, desesperada por arreglar los pies de Layne, y puso los ojos en blanco.

Massie se alegró de haber llamado antes de llegar para asegurarse de que ninguna de sus compañeras de la escuela tuviera cita a la misma hora, pues quería que esa cita con Layne quedara fuera de radar.

—Gracias de nuevo por traerme. Este lugar es hermoso, ¡es como un bosque brillante! —dijo Layne, refiriéndose a los muebles cromados y las grandes macetas con plantas muy cuidadas—. Y gracias también por llamarme aparte después del gimnasio para decirme que tengo los dedos de los pies muy feos.

—No te preocupes, Layne —dijo Massie—. Para eso estamos las amigas.

Massie vio cómo se le iluminaba la cara a Layne al escuchar la palabra *amigas.* ¡Qué fácil se le daban las cosas!

—Tus pies ya se ven muchísimo mejor.

—Looooo sééééééééé —dijo Layne, con la silla vibrando en la intensidad máxima.

—Por cierto —dijo Massie sin alzar la mirada de las páginas de *People*—, ¿te contó tu hermano que nos vimos este fin de semana?

—Nnnnnnnnoooooooooo —dijo Layne.

Massie cerró la revista y la puso sobre las piernas.

—Montamos a caballo juntos. ¿Estás segura de que no lo mencionó?

—Sssssíííí —dijo Layne.

—Seguramente no son muy cercanos —dijo Massie con una sonrisa solidaria.

Layne apagó la silla y miró a Massie a los ojos.

—Es mi mejor amigo, y nos contamos todo.

Massie se dio cuenta de que había tocado un tema delicado, y decidió no insistir. Era importante tener a Layne de su parte.

—Claro, eso me dijo. Incluso me comentó que quisiera que te gustara montar a caballo, para que pudieran pasar más tiempo juntos.

—¿De veras?

—*Claro que sí* —asintió Massie con voz intensa, como si la conmoviera el gran amor de Chris Abeley por su hermana—. Oye, tengo una buena idea. ¿Qué te parece si te enseño a montar a caballo el próximo fin de semana? Así podemos pasar todo el día juntas.

—¿En serio? —Layne se dio una palmada en el pecho—. ¿Harías eso por *mí?*

—Por supuesto —Massie alzó la mano para alisar su ya, de por sí, perfecto cabello—. ¿Por quién *más* lo haría?

La casa de Huéspedes
En la cocina
11:11 a.m.
13 de septiembre

Claire se quedó viendo el microondas. El reloj del horno marcaba números dobles, así que tenía un minuto para pedir todos los deseos que pudiera. Pidió hacer amigas y sacar buenas calificaciones en la OCD, la aprobación de Massie, lo que llevaría a la aprobación de Kristen, Alicia y Dylan, lo que llevaría a la aprobación de todas las demás, el papel principal en la obra que montaban en la escuela (la que fuera), ropa nueva, ir en otro vehículo a la escuela, tener pechos para poder usar brasier en Navidad, escribir con mejor letra y que el cabello le creciera más rápido.

—¿No debería haber llegado Layne? —preguntó Judi, mientras metía fresas en una olla de chocolate derretido, una por una, y luego las dejaba sobre papel encerado. Le tocaba hacer el postre para el club de lectores al que acababa de entrar.

—No va a venir —dijo Claire. Se sentó a la mesa de la cocina y se puso a enrollar y desenrollar un mantelito individual con estampado de cerezas.

—Y ahora, ¿cuál fue la excusa? —preguntó Judi con sincero interés—. ¿Pasó algo entre ustedes?

—No, es sólo que está muy ocupada con "su nueva" mejor amiga, Massie —dijo Claire. Estaba tan molesta que hizo un signo de comillas en el aire para "su nueva" en vez de para "mejor amiga".

Judi se fijó en el mantelito que Claire hacía rollo, y la miró preocupada.

—No entiendo. ¿No pueden salir las tres? —preguntó.

—Huy, sí, qué buena idea —dijo Claire—. Ahora que lo pienso, el Presidente necesita tu ayuda para la crisis del Medio Oriente.

Claire oyó una risa debajo de la mesa. Se asomó y vio a Todd ahí agachado y tapándose la boca con la mano.

—Fuera de bromas, ¿quieres que hable con Kendra sobre esto? —propuso Judi—. No veo por qué no pueden incluirte. Quizá sea un simple descuido.

Se oyó la risa nasal de Todd.

—Mamá, te doy todos mis ahorros si me prometes no hablar con *nadie* sobre esto. Estoy bien, te lo juro.

Claire apartó su silla y, al levantarse, pisó la mano de Todd sin apoyar demasiado el pie. Lo vio retorcerse de dolor a través de las grietas en la mesa de madera, y se tragó la risa.

—Creo que Todd está en la piscina. ¿Por qué no vas a nadar un rato con él?

—Puede ser —dijo Claire—. Pero se hace pipí en la piscina.

Claire lo oyó quejarse, y apoyó el pie de nuevo.

—Me voy a cambiar.

Claire pensó en lo mucho que deseaba contarle la verdad a su mamá: qué alivio sería por fin ser honesta, admitir que *no* tenía amigas. Creía que Layne sí lo era, pero luego Massie se la había robado. Y desde que Massie había empezado a invitarla a sus cosas, Layne había casi desaparecido. A Claire le avergonzaba admitir todo eso ante su mamá, así que se quedó callada.

Se limpió las lágrimas y se puso su bikini favorito: la pieza inferior con apariencia de mezclilla, con cinturón; la superior, un triángulo blanco. Lo había comprado en las rebajas de Target por quince dólares, y normalmente la hacía sentirse como toda una estrella. Pero en esa linda tarde de sábado, en la que no tenía a nadie con quien charlar más que con su hermano menor, se sentía más bien como una vela apagada.

LOS ESTABLOS GALWAUGH
EN EL SENDERO SHADY LANES
11:25 A.M.
13 de septiembre

Chris Abeley y Massie trotaban por Shady Lane, sin dejar de voltear cada cierto tiempo para asegurarse de que Layne los seguía. Ésta se había negado a montar en su caballo, e insistía en que la yegua prefería un paseo tranquilo.

—Layne, ¿estás segura de que no quieres siquiera *intentar* montar a Trixie? —preguntó Massie—. Estoy segura de que no tendrías problemas.

—No, gracias. Estoy muy entretenida tomando fotos de las flores y todo lo demás —respondió Layne.

—Está bien. Lo que pasa es que tengo que regresar a casa a la una para una reunión y, a este paso, no saldremos de aquí ni en tres horas —Massie mostró los dientes en un intento de sonrisa, que no salió muy bien.

—No sabía que tenías que irte temprano —dijo Chris Abeley—. Yo traje unos sándwiches, pensé que podíamos hacer un *picnic* en las cascadas.

—Si es que algún día llegamos —dijo Massie entre dientes.

—¡Ya te oí! —dijo Layne.

—Era una broma, Layne —dijo Massie—. Me encantaría comer en las cascadas. Creo que sí puedo llegar *un poquito* tarde.

—Perfecto —dijo Chris—. Por cierto, ¿me vas a devolver

algún día mi gorra de los Yankees? Layne me contó que te la pones todos los días para la escuela.

Como hablaba con tal alegría en la cara, Massie no sabía si quería que se la devolviera en serio, o si nada más estaba flirteando.

—No es cierto —Massie sintió la cara caliente—. Layne, ¿por qué le dijiste eso?

—Porque es la verdad. Creí que le iba a parecer halagador.

—La gorra que me pongo no es la de tu hermano, es mía —dijo Massie—. Chris, te regreso tu gorra el próximo fin de semana, con mucho gusto. De todos modos, me queda muy grande.

—Huy, pero se me olvidó decirte que no puedo venir a montar a caballo la próxima semana. Tengo un partido de lacrosse.

—Yo sí puedo venir —dijo Layne.

Pero Massie fingió no haberla escuchado.

—Eh, miren lo que encontré —gritó Layne, agachada en la orilla del sendero.

Chris y Massie frenaron sus caballos, y esperaron pacientemente a que Layne los alcanzara. La manera en que le pasó el pequeño objeto a Chris la hacía parecer una abogada entregando la prueba de un crimen.

—Parece un micrófono en miniatura —dijo Layne.

—Massie, ¿no es tuyo? —dijo Chris Abeley, y le dio el dije a Massie, con mucho cuidado para no dejarlo caer—. Lo vi en tu pulsera hace una semana. Seguramente lo perdiste cuando estuvimos montando aquí la vez pasada.

—¿Quieres que te lo ponga, Massie? —preguntó Layne.

—Gracias, Layne —Massie sabía que había sonado enojada, y se esforzó en no parecer ingrata.

—Qué bueno que Layne lo encontró, ¿no? —dijo Chris.

—Sí, claro —respondió Massie. "Qué *malo*", pensó. Había tirado ese dije tan corriente una semana antes e inesperadamente había vuelto a ella. Tan corriente como la familia que se lo había regalado.

LA MANSIÓN DE LOS BLOCK
EN LA PISCINA
11:45 A.M.
13 de septiembre

Todavía no era mediodía, pero hacía un calor tremendo. Claire iba hacia la piscina de los Block para nadar un rato ya que no había nadie, pero al llegar vio una mesa con mantel blanco dispuesta frente a las cabañas. Se quedó parada. Sobre la mesa había fuentes con minisándwiches, ensalada de pasta y sopas frías tapadas con plástico para evitar las moscas. Por lo visto, los Block estaban preparando una fiesta.

Junto a la comida y los platos, Inez había acomodado cuatro cuadernos en forma de abanico. Todas decían GLAMBICIÓN en letras grandes en la portada. A Claire se le quitaron las ganas de nadar.

—¿Qué pasa? —preguntó Claire.

Inez tenía gotas de sudor en el labio superior y los ojos entrecerrados por el sol.

—Es que Massie tiene una reunión —contestó.

Justo cuando Inez dijo eso, Claire oyó que la puerta de entrada a la piscina se abría. Alicia, Kristen y Dylan entraron, con sus trajes de baño, pareos y sandalias. Caminaban despacio, haciendo rozar en el piso las suelas de madera de las sandalias hasta llegar a las sillas de la piscina.

Dylan arrastró sillas y las puso juntas; las tres se tendieron en ellas. Con las piernas y brazos enredados parecían una enorme araña.

—Oye, Claire, ¿de quién es tu bikini? —preguntó Alicia.

Era prácticamente la primera vez que la llamaban por su nombre. Pero tenía que ser cuidadosa, porque podía muy bien ser una trampa. Claire había aprendido lo suficiente en las últimas semanas; ya sabía que decir que su traje era de Target podía tener terribles consecuencias.

—¿No estás bromeando? —dijo Claire.

Alicia volteó a ver a Kristen y Dylan con cierto pánico, pero ellas apartaron la mirada.

—Es un Astrud —dijo Claire, y esperó un momento como si esperara que Alicia reconociera el nombre—. Ya sabes, de Brasil.

—¡Claro! —dijo Alicia, dándose un golpe en la frente—. Ya sé por qué me parecía conocido. Es buenísima, acabo de ver el reportaje que le hicieron en *Teen Vogue.*

—*Buenísimo,* querrás decir —Claire esperaba no haber ido demasiado lejos con su mentira.

—¡Ali, cómo te puedes equivocar en eso! —dijo Kristen.

—Todo el mundo sabe que Astrud es hombre —agregó Dylan.

—Perdón, me confundí. Me ha dolido la cabeza todo el día; no puedo pensar bien —dijo Alicia.

Kristen empezó a enrollarse el cabello en los dedos. Dylan tomó una bolsa de semillas de girasol. Y Alicia se masajeaba las sienes. Claire sabía que, secretamente, todas estaban preguntándose cómo era posible que se hubieran perdido las noticias sobre Astrud. ¡Y Astrud ni siquiera existía!

—¿Dónde creen que esté Massie? —preguntó Kristen.

—¿Qué? —preguntó Claire. Pero las chicas habían vuelto a sus cosas, y se dio cuenta de que no estaban hablando con ella.

—Sea lo que sea, estoy segura de que tiene que ver con Chris —dijo Alicia—. Perdón, quise decir Chris *Abeley* —se quitó los lentes al hablar, y se los volvió a poner al terminar—. Ya estoy harta de tener que decir su nombre con todo y apellido.

—Pues si falta a otra reunión de Glambición, la voy a despedir —dijo Kristen—. Este proyecto vale tres cuartas partes de mi calificación y, si no lo apruebo, estoy perdida.

—¿Por qué nunca nos invita a salir con ellos dos? —preguntó Dylan.

—Porque quiere tiempo de ca-li-dad con Chrisabeley —dijo Kristen, uniendo las dos palabras. Las demás se rieron.

Pero Claire sabía lo que realmente estaba pasando. Massie no quería que supieran que salía a pasear con Layne. La había visto evitar a Layne en la escuela con las mismas tácticas que usaba para alejar a Claire: irse de pronto al baño, empezar charlas con chicas de la lista B cuando Layne se acercaba, o fingir que estaba en medio de una llamada urgente y que no podía ser interrumpida.

—¿Creen que va a empezar a salir con chicas de preparatoria? —preguntó Dylan—. Digo, ahora que está tan enamorada de Chrisabeley.

—No creo, si sigue usando esa gorra de los Yankees tan cursi —dijo Kristen—. Recuerdo cuando las únicas iniciales que Massie usaba eran YSL, LV y CC. No estoy segura de que yo pueda con NYY.

—No me digas. El miércoles pasado te vi revisando el precio de una gorra de los Yankees en el centro comercial —dijo Alicia—. Incluso vi que te la probabas, cuando creías que yo me estaba peinando.

Claire sintió que las tripas se le revolvían, pero abrió la boca y se obligó a decir lo más genial que se le ocurría. —Perdón por interrumpirlas, pero creo que no sería mala idea si se divierten un poco mientras la esperan.

La miraron sorprendidas, pero ninguna contestó. Lo único que se oía eran los dientes de Dylan masticando semillas de girasol.

Claire logró pasar por donde estaban con gracia y desenfado, aunque por dentro siguiera sin recuperarse de la impresión por su atrevimiento.

Subió al trampolín tan segura como una clavadista olímpica, y caminó hasta el borde. Brincó varias veces para probar el rebote de la tabla, y esperó a que el viento soplara a su favor.

Todas la miraban.

Retrocedió, puso los brazos rectos, dio un salto y, en el aire, su cuerpo formó una apretada bola. Después de un giro, se abrió como una navaja de resorte y entró al agua sin salpicar.

Al regresar a la superficie, las chicas la aplaudieron.

Una por una, se quitaron sus pareos y sandalias y se ajustaron los trajes de baño para echarse al agua. Alicia corrió a la cabaña y prendió la radio. Sonaba "Oops... I Did It Again", de Britney Spears, y aunque las chicas ya no la soportaban, todas se alegraron de oírla.

Se pararon en la orilla de la piscina y entonaron el coro.

Oops!... I did it again

I played with your heart, got lost in the game

Oh baby, baby...

—¡Ups! —gritó Dylan y empujó a Alicia al agua, con todo

y falda. A Claire le pareció que no se la hubiera quitado aunque Dylan no la hubiera tirado.

—Claire, no eres la única clavadista —dijo Dylan—. Chicas, miren esto.

Dylan corrió al trampolín, se paró en la orilla, toda tiesa, y cayó al agua como un ladrillo.

—Eso es tirar una piedra al agua —dijo al asomar la cabeza.

Y todas se rieron, especialmente Claire.

Alicia dio un giro en el trampolín con los brazos en alto, para hacer lo que ella llamaba el clavado de bailarina de ballet.

Kristen imitó a Britney, moviendo la cadera y con el brazo al frente, al caminar hacia el agua cantando:

Oops!... You think I'm in love

That I'm sent from above

I'm not that innocent!

Y se metió de un salto al agua justo al acabar la canción.

—¡Bieeeeen! —gritaron las chicas.

Pero la siguiente ocurrencia de Claire robó cámaras: se bajó el traje de baño, enseñó el trasero y gritó —¡Fuera ropa!

Otra canción de Britney sonó en la radio y las chicas chillaron de entusiasmo.

—¡MÁS FUERTE! —gritaron.

There's nothing you can do or say, baby

I've had enough

I'm not your property as from today

Imitaron la letra y se cantaron unas a otras como experimentadas estrellas de video. Claire estaba tan contenta que el cuerpo le temblaba.

Estaban en pleno baile con los brazos arriba y los traseros

sacudiéndose, cuando vieron a Massie parada en la orilla de la piscina con Bean a su lado.

Las risas se apagaron.

—¿Britney? —dijo Massie, arrugando la nariz como si le hubiera llegado un mal olor.

Alicia salió del agua y apagó la música.

—¿Dónde estabas? Llegaste una hora tarde —Kristen había logrado esconder su molestia con preocupación.

—Lo sé, perdón. Es que montamos a caballo por un nuevo sendero, nos perdimos y los celulares no tenían señal. Yo estaba muy asustada. Si Chris no fuera todo un explorador, nos hubiéramos *muerto* ahí —dijo, cargando a Bean.

Las chicas eligieron creerle, porque era mucho más seguro que acusarla de inventar la historia. Una por una salieron del agua, la abrazaron y le dijeron lo contentas que estaban de que siguiera viva.

—Hay que empezar la reunión, porque mi papá va a venir por mí en una hora —dijo Kristen.

Caminaron hasta la mesa, destaparon la comida y comenzaron a servirse. Massie le servía también a Bean de lo mismo que ella tomaba. Como no la invitaron, Claire salió del agua y se secó al sol en silencio.

—¿De qué se reían con esa parásita? —preguntó Massie, sirviéndose limonada.

—Nos reíamos de ella, porque se le salieron los mocos al nadar —mintió Alicia, y miró a las demás para que no fueran a desmentirla.

Claire estaba junto al trampolín, y se revisó la nariz, por si acaso.

Massie le dijo algo al oído a Kristen. Luego, Kristen tomó el salero de la mesa, caminó hacia Claire, que estaba acostada boca abajo en su toalla, y comenzó a echarle sal.

—¿Qué haces? —preguntó Claire, levantándose de golpe.

—La sal elimina los parásitos —respondió Kristen.

Massie las miraba con una sonrisa satisfecha.

Alicia le puso una rebanada de salmón ahumado en la espalda y explicó: —También el salmón sirve.

—Pero nada mejor que el gazpacho —dijo Dylan al echarle en la cabeza la sopa fría de tomate.

—Dylan, ten cuidado —dijo Massie con falsa preocupación—, esos trajes de baño de Target son muy difíciles de limpiar.

Claire sintió picazón en los ojos, lo que siempre le sucedía cuando estaba a punto de llorar. Se mordió los labios; *no* le daría a las chicas esa satisfacción. Así que se obligó a caminar con calma hasta la regadera al aire libre, aunque estaba tan alterada que apenas podía respirar. Mantuvo la cabeza en alto, y ni siquiera se molestó en limpiar los trozos de pimiento verde de la cara.

En la mesa, las chicas estaban extrañamente calladas. Y, de pronto, Kristen rompió el silencio.

—Creo que debemos lanzar nuestro primer producto Glambición dentro de una semana —dijo en voz alta—. El día en que nuestra clase vaya a la ciudad a grabar lo de *All My Children.*

—Kristen, eso suena perfecto —dijo Massie—. Podemos vender en el autobús. ¡Nos haremos ricas! —dijo, tragando saliva y tratando de sonar alegre.

—¿Cuál va a ser nuestro primer producto? —preguntó Dylan.

—Creo que deberíamos hacer un exfoliante corporal de naranja y azúcar —dijo Alicia.

—No, tiene que ser algo que todas puedan usar en el autobús, como un rubor en tinte o brillo de labios —dijo Kristen.

—Brillo de labios casero. ¡Me encanta la idea! —exclamó Massie.

Kristen sumó en su calculadora.

—Veamos. Seguramente podemos encontrar la mayoría de los ingredientes en nuestras propias cocinas, así que sólo voy a asignar diez dólares para eso, treinta dólares para los minienvases de plástico, diez dólares para las etiquetas y sesenta dólares de mano de obra, que serán ustedes, chicas —terminó de agregar las cantidades, y ya estaba lista para anunciar el precio de venta.

Con los ojos brillosos, Kristen anunció:

—Entonces, si vendemos treinta brillos de labios a cinco dólares con cincuenta cada uno, la Compañía Glambición ganará cincuenta y cinco dólares en su primer día de operaciones. Vamos a empezar a hacerlos el próximo viernes, así tendremos bastante tiempo para probar distintas recetas antes del viaje a la ciudad.

—¡Listo!

—¡Listo!

—¡Y listo!

La casa de Huéspedes
En el cuarto de Claire
7:30 p.m.
13 de septiembre

Claire se sentó en su cuarto con las luces apagadas. El sol se ponía cada vez más temprano, lo que la hacía sentirse todavía más solitaria. Podía ver a Massie en su cuarto, hablando por teléfono y cepillando a Bean, pero no mucho más. Desde la ventana de su cuarto, Massie se veía como una niña de séptimo grado normal, aunque muy bonita, y no como el monstruo que Claire sabía que era.

Claire les mandaba a Sarah y Sari, por correo electrónico, fotos de la OCD, de las hojas caídas y de su papel tapiz floreado como de ancianita, con un mensaje que decía *Sálvenme.* Luego se quedó ahí, pensando en Massie y en todas sus maldades, y en lo mucho que se *merecía* que alguien la hiciera pagar por ellas.

A las 8:13 p.m. Claire vio que Massie apagaba la luz y salía para ir a caminar con su papá y Bean. El paseo duraba unos quince minutos, porque siempre a las 8:30 p.m. regresaban. Eso le daba a Claire exactamente diecisiete minutos.

Claire salió por la ventana de su cuarto, y bajó por la celosía blanca en la que se trepaba una enredadera. Corrió por el jardín, y pensó en lo mucho que se había esforzado por ser amiga de Massie. Luego pensó en lo que había pasado en la piscina, y después en cómo le había robado a Layne. Entró por la puerta lateral.

—Hola, Kendra, ¿puedo subir al cuarto de Massie por su libro de ciencias? Ella dijo que no había problema —Claire sonrió, pero por dentro, estaba hecha un nudo de nervios.

—Claro —dijo Kendra.

Claire apenas podía creer que iba a entrar sin permiso en el cuarto de Massie. Por supuesto, no tenía idea de lo que iba a hacer cuando estuviera ahí, pero la pura idea de espiarla era muy emocionante.

El cuarto tenía más elementos violeta desde la última vez: había almohadas, una alfombra y una iMac en color violeta; todas nuevas adiciones a la blancura de la decoración.

Claire escuchó una puerta que se abría y se quedó helada. Estaba tan asustada de que la descubrieran que ni siquiera se le ocurría dónde esconderse. Oyó el sonido otra vez, y finalmente se dio cuenta de que venía de la computadora de Massie, lo cual quería decir que alguien en la lista de sus contactos de mensajes instantáneos estaba en línea. Miró en el perfil del nombre "HolaShica".

Era Alicia.

HOLASHICA: Q HACS?

Claire se alejó de la computadora como si tuviera vida. No podía creer que una oportunidad tan perfecta le llegara tan rápido. Le dio vuelta a sus pulseras, y caminó por el cuarto para calmarse. Volvió a pegar la oreja a la puerta para asegurarse de que nadie estuviera afuera y regresó a la computadora. Siempre había querido saber qué se sentía ser Massie Block. Respiró hondo y escribió.

MASSIENENA: NADA, TÚ?

Claire envió el mensaje y se echó para atrás como si las teclas quemaran.

HOLASHICA: VOY A COMPRAR N LÍNEA, SE T ANTOJA? AHORITA T MARCO.

Claire echó para atrás sus pulseras y tecleó.

MASSIENENA: NO, GRACIAS. VOY C CLAIRE... UNA PLI O ALGO ASÍ. YA M CAE SÚPER BIEN! TAN DIVRTIDA! BUENO, M VOY. AH, EL LUNES PONT SHORTS CON MALLAS DBAJO, LO ACABO D VR EN 17, MUY LINDO! DILE A K & A.

HOLASHICA: N SERIO?

MASSIENENA: Q?

HOLASHICA: TODO!

MASSIENENA: CLARO. NOS VMOS! ☺

Claire se aseguró de que el ratón inalámbrico quedara en el mismo lugar y planeó su escape. Abrió la puerta con cuidado, se asomó a ver si no había nadie, y creyó escuchar a alguien respirando, pero se dijo que era su imaginación. Sacó un pie como si estuviera probando la temperatura del agua en una tina y, en cuanto lo apoyó, algo le atrapó el tobillo, y Claire gritó.

—Claire, ¿estás bien? —gritó Kendra desde abajo.

—Sí, no pasó nada —contestó. Pero sí pasaba.

Era Todd, parado frente a ella con una sonrisa traviesa.

—No puedo creer que me hayas seguido —dijo Claire en voz baja.

—Shhh —dijo Todd—. Te van a descubrir.

El primer impulso de Claire fue golpearlo. Alzó el puño, pero lo bajó al pensar en que Massie los encontrara peleándose afuera de su cuarto.

—Mejor ya vámonos —dijo Claire—. Ya después te patearé el trasero.

—Me *besarás* el trasero, habrás querido decir. A menos que no te importe que descubran tu secretito.

Claire se quedó boquiabierta.

—Quién te manda espiar a la gente —dijo Todd, dándole un manotazo no muy fuerte, y salieron juntos.

La Range Rover
En la cochera de los Block
8:02 a.m.
15 de septiembre

Massie estaba parada con los brazos cruzados, con un vestido de seda negro con cuello chino sobre unos jeans deslavados Miss Sixty, mirando con una media sonrisa a Claire, que se subía al asiento trasero de la camioneta. Vestía mallas verde bosque, shorts de mezclilla oscuros y una camiseta blanca.

—No sabía que el taller de teatro tenía hoy audiciones para *Peter Pan* —dijo Massie.

—Pues se nota que tú sí te enteraste de las audiciones para *Miss Saigon* —replicó Claire.

Massie estaba impresionada por la rápida respuesta, pero no dejaba de preguntarse por qué actuaba con tanta confianza en sí misma. Su ropa era un desastre y, sin embargo, actuaba como si la hubieran nombrado número uno en la lista de las mejor vestidas en *People.*

Massie ya podía oír las carcajadas de sus amigas al ver la última creación de Claire.

Esperaron los cinco minutos de costumbre a que Alicia saliera y, como siempre, lo hicieron en silencio.

—¡Dios mío! —dijo Massie.

Isaac y Claire voltearon a ver qué la sorprendía. Alicia se dirigía hacia la camioneta con el cabello flotando en el aire, como una modelo en un comercial de champú. Llevaba mallas rojo tomate, Levi's recortados, un chaleco negro y sandalias negras de tiras finas. El conjunto era ridículo, pero en ella se veía bien de todos modos.

—¿Por qué te vestiste así? —le preguntó a Massie.

—¿Y *tú* me lo preguntas? —dijo Massie, sorprendida.

—¿Por qué te ves como *ELLEgirl* en vez de *Seventeen?* —preguntó Alicia.

Massie sabía que tenía que haber una respuesta lógica, pero decidió averiguarla por su cuenta. Era mejor que preguntar y parecer fuera de órbita.

—Es que Bean me rompió las mallas al salir, tuve que cambiarme de urgencia —mintió Massie.

Massie se preguntó cómo era posible que Claire, precisamente ella, se hubiera vestido con el mismo horrible estilo que Alicia. O quizá la pregunta correcta era cómo Alicia había llegado a ponerse la misma horrible combinación que Claire.

Massie se dio vuelta hacia el asiento trasero, esperando que un intercambio de miradas le diera alguna respuesta. Sus ojos se encontraron, pero Claire mantuvo su inocencia mostrando una cálida sonrisa. ¿Una cálida sonrisa después de lo que le habían hecho en la piscina? Massie debió sospechar, pero estaba distraída en otras cosas.

Massie pasó el camino a la casa de Dylan revisando su tarea de inglés para no tener que enfrentarse a Alicia, pero lo que siguió fue peor.

Dylan llevaba mallas negras, shorts de satén negro, y Kristen, mallas amarillas y jeans de Seven, que obviamente había recortado la noche anterior, porque le habían quedado disparejos.

Massie miró la fila de piernas multicolores que iba de lado a lado de la camioneta.

—Me siento como si estuviera dentro de una caja de Crayolas —dijo.

—Qué lástima que Bean te rompió las mallas —dijo Kristen—. Quizá Isaac puede parar en alguna tienda para que te compres otras, y no te sientas mal.

—Créeme, no soy yo la que se va a sentir mal —Massie puso los ojos en blanco.

—¿Por qué lo dices? —preguntó Dylan.

—Por nada —dijo Massie, acordándose de que debía mantener la calma.

—Claire, te traje algo —Alicia buscó en su bolsa modelo Cherry Blossom de Louis Vuitton y sacó un teléfono. —Es el celular que tenía antes mi papá. Funciona perfectamente.

—¿Para mí, de veras? —Claire se asomó a verla para comprobar si era en serio—. ¡Gracias! —dijo, conteniendo la risa. "Había funcionado, sí funcionaba", pensó.

—De nada. El número viene adentro —dijo Alicia.

—¿Y cómo voy a pagarlo? —preguntó Claire.

—¡Ay, por favor! Lo pagan en la compañía de mi papá. Ni cuenta se van a dar —dijo Alicia.

—Claire, te traje la invitación a mi fiesta de cumpleaños. Es la próxima semana —dijo Dylan—. Va a ser en Manhattan, en el Four Seasons. Habrá algunos famosos y montones de paparazzi. Vamos a ir de compras esta semana, si quieres venir.

—¡Claro! —Claire estaba que no cabía de emoción. No podía creer que su imitación de Massie hubiera funcionado tan bien.

En cambio, Massie se sentía mareada. *¿Qué* demonios estaba *pasando?* Dejó que sus amigas hablaran de la fiesta de Dylan por el resto del viaje, y siguió revisando su tarea. En ese momento era lo más sensato.

La camioneta se detuvo frente a la OCD, y Massie pasó revista a las chicas sentadas en la entrada. Todo se veía normal. Nadie traía mallas, ni shorts, ni siquiera las chicas de la banda alternativa.

Massie concluyó que había sido una jugarreta interna.

Las Crayolas bajaron de la camioneta y caminaron hacia la puerta de la escuela muy orgullosas, alzando la nariz ante la gente "normal", que no se había enterado de la tendencia más actual.

Por primera vez en la historia, *Massie* se veía marginada. Se preguntó si todas pensarían que Alicia, Dylan y Kristen de pronto se llevaban mejor con Claire que con ella, por cómo iban vestidas. *Ella* lo habría pensado.

—Claire, te aparto un lugar en mate —dijo Kristen—. A menos que llegues antes; en ese caso, guárdame uno, ¿okey?

—Okey —Claire se alejó. "¡Triunfo total!", pensó.

Todas caminaron en distintas direcciones, dejando a Massie sola en medio del pasillo.

—Massie —se oyó un grito—. ¡Qué bueno que te encuentro! —era Layne—. Aunque Chris no pueda ir a montar contigo este sábado, yo sí puedo. Ya sé que el fin de semana pasado ni siquiera quise montar a Trixie, pero esta vez te prometo intentarlo. Y llevaré mi mejor cámara, para que tomemos fotos de...

—Layne, ¿por qué no tomas una foto de *esto*? —dijo Massie mostrándole el dedo mayor. La jaló hacia uno de los baños, y bajó la voz—. Ya te dije que no quiero que me hables en la escuela, y que nuestros planes son secretos.

—Sí, lo dijiste, pero creí que era una *broma* —dijo Layne—. No pensé que fuera en serio —agregó con voz temblorosa.

—¿Ah, sí? Pues no era broma, para nada —dijo Massie—. Además, no puedo ir a montar esta semana, así que se cancela el plan. De hecho, se cancelan todos los planes contigo.

Sabía que estaba siendo cruel, y se sintió mal, pero no pudo detenerse. Todo su mundo se derrumbaba.

—Muy bien, Massie. Adiós, ¡para *siempre!* —dijo Layne, y se fue llorando.

La casa de Huéspedes
En el cuarto de Claire
7:55 p.m.
17 de septiembre

Desde ese día las mallas de colores comenzaron a aparecer por aquí y por allá en la escuela. No todas las llevaban con shorts de mezclilla, pero muchas sí lo hacían. Las delgadas se las ponían con minis, otras se las ponían debajo de jeans desgarrados, para que el color se viera por las partes rotas. Claire no podía creer que *ella* hubiera lanzado esa moda. Si supieran...

Claire se sentó en la cama y miró por la ventana que daba al cuarto de Massie. Estaba loca de entusiasmo, ansiosa por que dieran las 8:15 P.M..

Todo el día había pensado en qué mensajes instantáneos podía mandarles a Kristen, Alicia y Dylan, mientras Massie salía a caminar con Bean. ¿Qué las haría ponerse? ¿Qué nueva amistad les impondría? ¿Qué chismes le contarían? Sabía que estaba arriesgando muchísimo al meterse en el cuarto de Massie sin permiso, al tomar su lugar para mandarles a sus amigas mensajes instantáneos y decirles qué debían hacer. Y sabía que lo que estaba haciendo no estaba "bien" o no era exactamente "justo", pero al mismo tiempo saboreaba la venganza. Además, la habían tratado horriblemente, ¿cierto?, así que se *merecían* una sopa de su propio chocolate. Quizá, incluso, lo que estaba haciendo era bueno, porque un poco de humildad no les iba a hacer daño. Los razonamientos de Claire se interrumpieron con el sonido de un himno militar. Claire tardó un segundo en darse cuenta de que era el timbre de su nuevo celular.

—Oye, Alicia —Claire se miró en el espejo al hablar—. ¿Qué haces?

—Me estoy probando unas viejas pulseras de plata que mi mamá ya no usa —dijo Alicia.

—¿Qué tan viejas son? —preguntó Claire.

—De la temporada pasada —dijo Alicia.

Claire miró las cintas desgastadas en su muñeca, descoloridas y amarillentas, porque no se las quitaba ni para bañarse. ¿Por qué no se había dado cuenta? Tenía que tirarlas.

Las cortó con un cortaúñas, mientras Alicia decidía con qué pulseras se iba a quedar, y cuáles dejar para que su mamá las donara.

Claire vio que la luz del cuarto de Massie se apagaba, y supo que era el momento de hacer su jugada.

—Alicia, ¿te llamo en quince minutos? Tengo que ir a ayudar a mi mamá —dijo Claire.

—Claro, pero antes de que se me olvide, llamé para ver si quieres ir de compras por algo para ponernos en la fiesta de Dylan. Tengo ganas de gastar.

—¡Claro, vamos! —dijo Claire—. Nunca dejo pasar una excusa para gastar.

Claire pensó que ya después vería de dónde sacaría el dinero. Por el momento, estaba contenta simplemente por la invitación.

Cerró el teléfono del señor Rivera y apagó la luz. Eran las 8:17 P.M., y Massie regresaría en menos de quince minutos.

Ya tenía una pierna fuera de la ventana cuando oyó que tocaban a la puerta.

—¿Quién es?

—No pensabas irte sin mí, ¿verdad? —dijo Todd, parándose frente a ella con los puños en la cadera como un superhéroe. Estaba vestido de negro de pies a cabeza.

—Ni lo sueñes —dijo Claire, regresando su pierna.

—Pues si no voy yo, tú tampoco —dijo Todd.

Claire miró su reloj.

—Está bien. Pero *no* hagas ruido.

Pensó que esa vez sería mejor entrar sin que Kendra se diera cuenta, para que no empezara a preguntarse por qué Claire siempre aparecía cuando Massie no estaba.

Llegaron a la escalera y al cuarto de Massie sin problemas. Todd vigilaba la puerta, mientras Claire iba directo a la computadora. Bajó el volumen, y escribió su primer mensaje instantáneo para Pelirroja. Tenía que ser Dylan.

MASSIENENA: Q HACS?
PELIRROJA: TAREA D BIOLOGÍA ☹
MASSIENENA: Q T VAS A PONER P TU FIESTA?
PELIRROJA: QUIZÁ UNA MINI D GAMUZA DEL CATÁLOGO D BARNEY'S, PG 23
MASSIENENA: CREES Q TUS PIERNAS C VAN A VR BIEN EN MINI?

Claire no podía creer que había caído tan bajo. Ni en un millón de años habría pensado que haría sentir mal a alguien acerca de su peso. Pero tampoco se imaginaba estar metida en ninguna de las situaciones que le habían tocado recientemente.

PELIRROJA: X Q?

MASSIENENA: X NADA. YA M VOY, LLEGÓ CLAIRE.

PELIRROJA: P, CREES Q TNGO PIERNAS GORDAS???????

PELIRROJA: MASSIE!

PELIRROJA: STÁS AHÍ?

PELIRROJA SE DESCONECTÓ 8:29 P.M.

Claire cerró el diálogo con Dylan para que Massie no lo descubriera, y se fue corriendo con Todd.

A la mañana siguiente, en la camioneta, Dylan estaba callada. Llevaba una falda larga que se arrastraba por el suelo, y una abultada sudadera.

—¿Lavaron toda tu ropa? —preguntó Alicia al verla.

—*No* —contestó Dylan, mirando fijamente a Massie—. Sólo tengo frío.

La mansión de los Block
En el cuarto de Massie
8:19 p.m.
18 de septiembre

Como la noche anterior, Claire se metió al cuarto de Massie. Ahora seguía Kristen, que iba a ser un poco más difícil que Dylan, porque Claire no tenía idea de cuál era su punto débil. Sabía que se preocupaba mucho por sus calificaciones, pero nada más.

No le sorprendió ver a Sexydeportiva en línea, pues siempre que se sentaba frente a la computadora de Massie, ahí estaba Kristen, probablemente haciendo la tarea.

—No hay moros en la costa —dijo Todd.

—Gracias. Dame la señal de salida a las 8:27 —dijo Claire.

Todd asintió, y Claire fue a la computadora, sin encender las luces.

MASSIENENA: ESTÁS AHÍ?
SEXYDEPORTIVA: SIEMPRE
MASSIENENA: TAREA?
SEXYDEPORTIVA: GLAMBICIÓN TNGO Q SACAR UNA A
MASSIENENA: Y SI NO T LA SACAS?
SEXYDEPORTIVA: NO QUIERES SABR
MASSIENENA: TUS PAPÁS?

SEXYDEPORTIVA: TODO
MASSIENENA: ?????
SEXYDEPORTIVA: OLVÍDALO
MASSIENENA: NO, DIME
SEXYDEPORTIVA: NO, NADA

Todd silbó suavemente. Le quedaban tres minutos para hacer confesar a Kristen.

MASSIENENA: SECRETO X SECRETO?
SEXYDEPORTIVA: NO
MASSIENENA: ANDA, HAY ALGO Q NO LE HE DICHO A NADIE
SEXYDEPORTIVA: LO JURAS?
MASSIENENA: LO JURO
SEXYDEPORTIVA: OK, TÚ 1 ERO
MASSIENENA: YA VES Q HE ESTADO YENDO CON C. A. CADA FIN D SEMANA
SEXYDEPORTIVA: SIP, ME HE DADO CUENTA
MASSIENENA: JA JA.?? LAYNE HA ESTADO C NOS TODO EL TIEMPO
SEXYDEPORTIVA: DIOS MÍO!
MASSIENENA: ADEMÁS FUIMOS A MANI/PEDI Y A COMER HELADO D YOGURT DESPUÉS D CLASES. D HECHO YA M CAE BIEN
SEXYDEPORTIVA: DIOS MÍO X 2!
MASSIENENA: T TOCA

SEXYDEPORTIVA: P NO PUEDES DCIRLE A NADIE! VS Q SIEMPRE M PREOCUPAN LAS CALIFICACIONES? NO ES NADA MÁS X Q TENGO PAPÁS <u>ESTRICTOS</u>. ES X Q TENGO PAPÁS <u>POBRES</u>.
ESTOY BCADA EN LA OCD

MASSIENENA: DIOS MÍO X 3! PNSÉ Q TU PAPÁ ERA RICO Y DUEÑO D UNA GALERÍA D ART

SEXYDEPORTIVA: ERA

MASSIENENA: PRO VIVS EN EL EDIFICIO MONTDOR!

SEXYDEPORTIVA: NOP. VIVIMOS N L EDIFICIO D AL LADO. SHHH. NO LO CUENTS, NI X PUNTOS D CHISME, OK?

Todd dio la última señal con otro silbido. Se le había acabado el tiempo.

MASSIENENA: M TNGO Q IR

MASSIENENA SE DESCONECTÓ A LAS 8:30 P.M.

Claire sabía que su brusca desconexión haría sentir tan mal a Kristen, que se lamentaría por haber contado su secreto.

—Debe estar con los nervios de punta —dijo Todd—.Va a pensar que para mañana toda la escuela se va a enterar de que su vida es pura pose.

Sus piernas cortas se movían a toda velocidad para seguirle el paso a Claire al atravesar el jardín.

—Lo sé —dijo Claire. Trató de sonreír, pero le dolía la cabeza. Buscó sus pulseras; jugar con ellas siempre la tranquilizaba. *¿Oh?* Se miró la muñeca y recordó que las había tirado.

LA MANSIÓN DE LOS BLOCK
EN EL CUARTO DE MASSIE
8:34 P.M.
19 de septiembre

Estaba empezando a refrescar bastante en las caminatas que cada noche hacían Massie, su papá y Bean. A Massie no le importaba el aire frío, porque era una excusa para ponerse bufandas y gorros. Pero Bean no lo soportaba.

Temblaba en brazos de su dueña, aunque ya estuvieran dentro de la casa, envuelta en una cobijita de cachemir gris y con sus propios botines acolchados. Massie se sentó en la cama a quitarle los botines a Bean, mientras terminaba la conversación con su papá.

—Papá —dijo Massie luchando por sacarle el último botín, mientras Bean se retorcía, tratando de escaparse—, cuando te pregunto cómo puedo convertirme en una magnate de los cosméticos, no deberías contestarme que me case con el director general de Revlon —se rió con cariño y también con frustración—. ¿Qué tal si fuera el tipo de hija que pudieras tomar en serio?

—Entonces no serías mi hija —dijo William dándole un beso en la frente. Debió sentir, por el puchero de Massie, que no quedaría satisfecha sin una respuesta verdadera—. Bueno, ¿quieres un buen consejo, en serio? Averigua qué tipo de maquillaje prefieren tus compañeras: si sombras de ojos o labial o lo que sea, y cómpralo por mayoreo.

—Y *eso,* ¿de qué me va a servir para hacerme increíblemente popular? —preguntó Massie.

—Ah, *¿ésa* es tu motivación? Linda, yo puedo ser un exitoso empresario, pero nunca he sido experto en popularidad.

—Debí suponerlo —dijo Massie con una sonrisa juguetona.

—¿Qué quieres decir con eso? —dijo William, tratando de parecer ofendido.

—¿Acaso no era Jay Lyons uno de tus mejores amigos? —preguntó Massie.

—Bean, tu mami es muy mala —dijo William, acariciando la cabecita de Bean, y dándole otro beso de buenas noches a Massie antes de salir.

Bean seguía temblando de frío, así que Massie le echó aire caliente con su secadora del cabello.

Luego fue al cajón del tocador y sacó una cobijita azul cielo de cachemir con una aplicación en forma de hidrante al frente. Envolvió a Bean como un bebé, y la abrazó para hacerla entrar en calor.

Oyó un timbre y le tomó un segundo reconocerlo. Con la perrita en una mano y el ratón en la otra, Massie se fijó en quién le estaba mandando mensajes instantáneos, y se arregló el cabello automáticamente, por si fuera Chris Abeley.

SEXYDEPORTIVA: X FA, NO LE DIGAS A NADIE!!!!!

MASSIENENA: D Q?

SEXYDEPORTIVA: EN SERIO!

MASSIENENA: NO SÉ D Q M HABLAS

SEXYDEPORTIVA: GRACIAS! ☺

La escuela Ocd
En los vestidores
11:40 a.m.
20 de septiembre

—¿Dónde está Claire? —le preguntó Alicia a Massie. Estaban cambiándose de ropa para ir a jugar al tenis. Todas habían elegido ese deporte entre las materias optativas, porque nadar les resecaba el cabello, yoga era aburrido y el tae bo ya había pasado de moda.

—¿Y yo qué voy a saber? —replicó Massie.

—¿No es acaso tu nueva mejor amiga? —la voz de Alicia tenía algo de amargura.

—No fui yo la que le dio un celular —dijo Massie, y se dirigió hacia Kristen—. Ni la que le pidió que se inscribiera en tenis.

—¿Qué querías que hiciera, si me dio la raqueta que le sobraba para que no tuviera que comprar una? —chilló Kristen.

—Y, ¿desde cuándo no puedes comprarte tu propia raqueta? —preguntó Massie.

Kristen se tensó. Sus ojos celestes se oscurecieron y se le enrojeció la cara.

—Ah, qué considerada; muchas gracias —dijo Kristen.

—¿Quééé? —preguntó Massie.

Dylan se bajó de la báscula y se reunió con ellas.

—No vuelvo a comer —dijo.

—Quizá deberías tratar de quitarte esa tienda de campaña que llamas falda, antes de subirte a la báscula —bromeó

Massie—. Debe de pesar como quince libras.

—Pero es ligera en comparación con mis piernas gordas, ¿verdad, Massie? —dijo Dylan.

Massie se rió. Pensó que estaba bromeando, pero se dio cuenta de que no era así cuando Dylan le lanzó la falda directo a la cabeza.

—¿Quiénes *son* ustedes, y qué hicieron con mis amigas? —dijo Massie.

—¿Te refieres a Claire, Chris y LAYNE? —gritó Kristen cerrando su armario de un golpe. Luego tomó su raqueta y salió corriendo del vestidor. Dylan la siguió, y después, Alicia.

Por segunda vez en su vida, Massie se había quedado sola.

Respiró hondo, y caminó hacia las canchas de tenis bajo un domo transparente que las hacía muy calurosas. Kristen, Alicia, Dylan y Claire estaban formando equipos para dobles. Massie tenía que hallar compañeras de partido.

Sintió que todo el mundo la miraba, esperando ver qué hacía.

—¡Qué lindos! No puedo creer que hayas encontrado zapatos de tenis con pedrería —le dijo a Saylene Homer.

—Gracias, Massie, los hice yo misma —Saylene se humedeció el pulgar y se inclinó a limpiar los adornos de pedrería.

A sus espaldas Massie le decía Homer Erectus, porque tenía una postura perfecta gracias a las clases de ballet que había tomado desde niña. Llevaba su larguísimo cabello castaño en una cola de caballo tan alta que molestaba verla, y sólo se la soltaba para los bailes y las fiestas de cumpleaños. Pero dadas las circunstancias, tendría que hacerlo.

—Qué suerte tienes —dijo Massie.

—¿Por qué? —Saylene sonaba confusa.

—Porque además de tener el mejor cabello de la escuela, ahora también eres una de las mejores jugadoras de tenis —dijo Massie—. Seguro jugaste mucho en el verano.

—En realidad, no. Quizá sean los tenis con pedrería.

Massie le brindó su mejor carcajada falsa. —Quizá. ¿Quieres jugar conmigo? Me encantaría hacerlo con alguien que sea mejor que yo, para mejorar mi juego.

Saylene miró hacia sus compañeras de siempre. Estaban en la cancha de al lado, rebotando pelotas en sus raquetas, esperándola.

—Es que… —Saylene dudó, mirando por encima del hombro—. Está bien —dijo, al ver que sus amigas estaban listas para empezar sin ella.

Saylene y Massie también almorzaron juntas, porque ambas se habían quedado sin su grupito de siempre. Massie pasó el resto del día haciendo campaña para conseguir nuevas amigas. Felicitó a Suze Gellert por los diez minutos de clase discutiendo con el maestro sobre una respuesta (aunque estaba equivocada); le prometió a Denver Gold quemarle un CD para el fin de semana; y compartió sus audífonos con Aimee Colt para que ambas pudieran oír el iPod de Massie al mismo tiempo. Se sentía como un político desesperado por conseguir votos. Lo único que faltaba era besar a un bebé y que un fotógrafo tomara la foto.

Sabía que podía pasar el resto del año con esas amigas de emergencia, si fuera necesario. Comerían juntas, irían al cine, incluso de compras, pero no sería lo mismo. Ya odiaba su propia voz, muy alta y extraña, cuando hablaba con ellas. Ahora que estaba sola, ponía demasiada atención en lo que hacía.

“¿Le habrá parecido mala mi música a Aimee? ¿Hubiera preferido Saylene que escogiera la mesa junto a la pared, no la de la ventana? ¿Pensaría Suze que tengo una risa gangosa?”.

Estaba fuera de su territorio y todo se sentía raro. Era lo mismo que sentía cuando se quedaba a dormir en casa de alguien más, y tenía que ponerse ropa que no era la suya para regresar a casa al día siguiente. Nada le parecía familiar. Extrañaba lo segura que se sentía con Alicia, Kristen y Dylan. En los últimos tres años se habían vuelto como hermanas. Si dejaban de formar parte de su vida, sabía que volvería a sentirse como antes de conocerlas: como hija única.

Massie vio pasar al nuevo cuarteto por los pasillos. Se habían convertido en mejores amigas apenas unos días antes, pero ahora ni siquiera la miraban. ¡Qué rápido cambiaban las cosas! Sabía que sus carcajadas eran falsas, con el propósito de hacerla pensar que se estaba perdiendo algo muy divertido. Después de todo, ella les había enseñado ese truco. Pero en vez de responder de la misma manera, Massie pensó en algo nuevo.

Massie se acercó más a Saylene mientras caminaban, para que pareciera que no quería perderse ni una palabra de lo que decía. ¿Por qué no dejar que sus ex amigas pensaran que ella y Homer Erectus se habían vuelto íntimas amigas desde el tercer período? Pensó que eso las haría morirse de celos; pero si así fue, no lo demostraron.

Massie las esperó a la salida, hasta las 3:50 P.M., pero no llegaron.

—¿Dónde están las chicas? —preguntó Isaac cuando vio llegar a Massie sola.

—Castigadas —dijo Massie—. El chofer de Alicia vendrá por ellas. Ya podemos irnos.

El viaje a casa fue silencioso. En el camino vieron a Kristen, Alicia, Dylan y *Claire*. El cuarteto caminaba por Briar Patch Lane. Descalzas, con los zapatos de tacón alto en la mano, parecía como si estuvieran dando un paseo por la playa.

Massie se deslizó en el asiento de cuero para que no la vieran. Sintió que Isaac la miraba, y agradeció que dejara pasar el momento sin pedir explicaciones.

Cuando la camioneta se detuvo frente a la mansión, Isaac abrió la puerta, y Massie corrió hasta su cuarto sin darle las gracias. Encendió la computadora, esperando que alguna de sus amigas estuviera conectada, pero nada. Quizás estarían caminando de regreso a casa. Marcó el número de conexión inmediata de cada una, pero nadie apareció. Incluso comenzó a marcar el número de Claire, pero se contuvo; no estaba *tan* desesperada.

Tenía tres mensajes nuevos en su buzón. Uno era de info@purpleskirt.com, otro de DailyCandy y el tercero de Chris Abeley. Pulsó en su nombre, y sintió que el corazón se le aceleraba en el medio segundo que tardó en aparecer el mensaje.

M,
¿CÓMO ESTÁS? ¿TÚ Y LAYNE ESTÁN BIEN? LA VEO MOLESTA.
POR CIERTO, NO PUEDO IR A MONTAR POR OTRAS DOS SEMANAS. ANDO MUY OCUPADO.
CHRIS

Para coronar el día, sólo faltaba que sus papás le dijeran que se iban a vivir a Europa sin ella.

Finalmente, escuchó un sonido familiar: Sexydeportiva le había enviado un mensaje.

SEXYDEPORTIVA: SÓLO QRÍA AVISART Q MAÑANA VAN A PASAR X MÍ, NO M VOY CONTIGO

MASSIENENA: X Q?

SEXYDEPORTIVA: NO T HAGAS LA INOCNT, CONFIÉ N TI, DIJIST Q NO IBAS A CONTAR NUESTRO SECRETO!

MASSIENENA: Q SECRETO? D VRDAD NO TNGO IDA D Q HABLAS!

Massie marcó el número del celular de Kristen.

MASSIENENA: SOY YO, CONTSTA

—Tienes tres minutos —dijo Kristen.

Massie sabía que hablaba en serio, y estaba agradecida de que le hubiera contestado la llamada.

—Kristen, es la verdad; no tengo idea de qué secreto hablas —dijo Massie.

—Me contaste que eras amiga de Layne y yo…

—Nunca te dije que fuera amiga de Layne —replicó Massie—. ¿Quién dijo que somos amigas?

Kristen comenzó a hablar como detective. —Anoche, a las 8:26 P.M., me dijiste que habías salido con Layne y yo te dije…

—Espera —dijo Massie.

—*¡No me interrumpas!* —dijo Kristen.

—Pero a esa hora yo estaba paseando a Bean. Anoche, cuando te mandé ese mensaje diciéndote que no sabía de qué estabas hablando, lo decía en serio —dijo Massie.

Dejó a Bean con cuidado en el piso. Estaba nerviosa y necesitaba caminar.

—Entonces, ¿cómo explicas los mensajes que me llegaron de *tu* computadora? —preguntó Kristen.

—No tengo idea —dijo Massie.

—¿Por qué debería creerte?

—Porque si estuviera mintiendo, sabes que tendría una excusa mucho mejor —dijo Massie.

Se oyó la risa de Kristen. —Es verdad.

LA CALLE WALNUT
4:55 P.M.
20 de septiembre

Claire y Alicia estaban en el último tramo del largo camino a casa. Alicia hablaba de *algo* que había pasado en el último período. Tenía que ver con una botella de pegamento y el llavero de pata de conejo de Jaden Hiltz, pero eso fue todo lo que Claire alcanzó a escuchar. Estaba muy ocupada pensando en sus nuevas "amigas".

Claire sabía que las chicas sólo se portaban bien con ella por dos razones: 1) porque las había hecho creer que se llevaba bien con Massie, y 2) porque habían dejado de hablarle a Massie.

Pero a Claire no le importaba, o no mucho. Además, cualquier cosa era mejor que ser víctima, ¿cierto? Quería aferrarse a esa creencia por el mayor tiempo posible. Aunque le costara dormirse y aunque le doliera el estómago.

Se habían separado de Kristen y Dylan cuatro cuadras antes, y estaban a punto de llegar a casa de Alicia.

—Bueno, al fin llegamos —dijo Alicia, arrastrando la bolsa tipo mensajero de Prada.

—Creo que caminamos al menos seis millas —dijo Claire.

—Valió la pena. Lo último que me faltaba era compartir el viaje con Massie Fuchi —dijo Alicia.

—Lo sé —Claire puso los ojos en blanco—. No sabes lo que me atormenta el tener que regresar a esa casa ahora mismo.

Claire estaba haciendo todo lo posible por mantener a las chicas en su fase anti–Massie.

—No necesariamente —dijo Alicia con los ojos brillando más de lo normal—. Vamos a comprarnos algo para ponernos en la fiesta de Dylan.

Claire no sabía cómo decirle a Alicia que sólo tenía unos tres dólares en la bolsa, y casi todo en monedas.

—Me encantaría, pero dejé mis tarjetas de crédito en casa —dijo Claire.

—No hay problema; yo pago —dijo Alicia.

—No puedo dejar que pagues —dijo Claire.

—Claro que sí puedes —dijo sacando cinco tarjetas, y enseñándoselas como mano ganadora de póquer.

Normalmente, Claire habría pasado más tiempo protestando, pero había visto muchas veces que Alicia pagaba cosas para las demás chicas, y nadie parecía poner mucha atención al asunto. Le gustaba la idea de que Alicia quisiera regalarle algo, no por la ropa gratis, sino porque eso significaba que la consideraba su amiga.

¿Y de qué otro modo habría podido comprar el vestido de seda con estampado de lunares de DKNY ($248), los zapatos de cuero con tacón princesa de Marc Jacobs ($265), la cartera con lentejuelas de BCBG ($108) y el broche para el cabello ($32)? El gran total (sin impuestos) fue de $653.00. Exactamente 53 dólares más que todo lo que había ahorrado con el dinero que su abuela le mandaba en cada cumpleaños.

Ya era de noche cuando el chofer de Alicia la llevó de regreso. Al caminar hacia la casa de huéspedes, vio a Massie sentada en la computadora, sola. Claire tragó saliva.

Bueno, era cierto que daba pena ver a Massie ahí sentada, tan sola. Pero, también era cierto que ella, Claire, había sido relegada al asiento trasero de la camioneta; ignorada en la escuela donde acabó con pintura roja en el pantalón; humillada con comida en la cabeza; y, lo peor de todo, le habían robado a su amiga, Layne. Pensándolo de esa manera, no se sentía tan malvada. Como *ella* fue la víctima en todo eso, podía hacer lo que quisiera para sentirse mejor, ¿no es cierto?

—¿Dónde estabas, Claire? —preguntó Judi, viniendo de la cocina al recibidor.

Claire puso sus bolsas de compra en el clóset del recibidor, y logró cerrar la puerta antes de que su mamá apareciera.

—¿Qué te hiciste en el cabello? —preguntó al ver cómo Claire se había recogido el flequillo para despejarse la frente.

—Lo siento, mamá; es que fui a casa de Alicia a estudiar después de clases —contestó Claire. No podía creer que se le hubiera olvidado llamar a su casa.

—Estaba muerta de preocupación. Le hablé a Massie y a Layne, pero ninguna de las dos tenía idea de dónde estabas. Claire, te enseñé a llamar a casa cuando tenías cinco años.

—Ya entendí, mamá, ¡y dije que lo siento! —gritó Claire.

—Decir que lo sientes no cambia el hecho de que no hayas llamado —dijo Judi—. En las próximas dos semanas vas a regresar a casa directamente después de clases.

Claire no podía creer en su mala suerte.

—¡Creí que querías que hiciera nuevas amigas! ¡Y ahora que las tengo, no me dejas salir con ellas!

—Ése no es el punto, Claire —dijo Judi.

Pero a Claire no le importaba “el punto”. Subió corriendo

hasta su cuarto, y azotó la puerta al cerrarla. Una foto enmarcada en blanco y negro de una señora tomada junto a lo que podría haber sido el *Titanic,* se cayó y se rompió.

Antes de que pudiera recoger los pedazos de vidrio, el teléfono del señor Rivera sonó, y Claire respondió rápido para que su mamá no se diera cuenta de que tenía un celular.

—Hola Claire, soy Kristen.

—Mi mamá me regañó porque apenas acabo de llegar a casa —dijo Claire.

—¿Dónde estabas? —preguntó Kristen, preocupada.

—De compras con Alicia. Fuimos por ropa para ponernos en la fiesta de Dylan —dijo Claire.

—No sabía que tuvieras tarjeta de crédito. ¡Qué bueno! —dijo Kristen. A Claire le pareció que sonaba celosa, y ella sabía bien por qué.

—Alicia pagó —dijo Claire.

—¿De verdad?

—Pues sí, ¿lo hace mucho, no? Creo que mañana le voy a decir que regresemos y que me compre el abrigo que hace juego.

Claire oyó que alguien respiraba en la línea, y supo qué pasaba.

—¡Todd, cuelga! —gritó—. Perdón, es que el estúpido de mi hermano estaba oyendo.

—No te preocupes. Oye, me tengo que ir, ya casi son las 8 y mi mamá va a decirme que corte la llamada. ¿Nos vemos mañana? —dijo Kristen.

—Sip, hasta mañana —dijo Claire, y colgó.

El celular volvió a sonar. Era Dylan.

—Supe que compraste un vestido increíble para mi fiesta —dijo Dylan.

—Sí, me gustó mucho. El vestido me queda bien pegadito, y los tacones son bien altos —explicó Claire—. Alicia dijo que me veo súper sexy.

—Sí, me lo dijo. Y también que te ganaste unos cuantos puntos de chisme en el camino de regreso —dijo Dylan.

Claire se alarmó, y revisó su día a toda velocidad, tratando de recordar si le había dicho a alguien lo de la beca de Kristen.

—¿De veras? —preguntó Claire.

—Sí, le dijiste lo de Massie y Layne —dijo Dylan.

—Ah, sí. Es que todas esas veces que Massie canceló sus planes con ustedes para estar con Chris Abeley, también estaba con Layne.

—Dos puntos —dijo Dylan.

—Incluso salieron juntas después de clases varias veces —dijo Claire.

—Otro punto —dijo Dylan—. ¿Cómo lo sabes?

—Layne me lo dijo.

Dylan se quedó callada.

—Ya sabes, cuando salíamos juntas. Antes de conocerlas a ustedes —dijo Claire.

—No puedo creer que Massie nos mintiera —dijo Dylan triste—. Tendría que retirarle la invitación a mi fiesta.

—Yo lo haría. A menos que quieras que te haga sentir culpable con cada bocado de tu propio pastel de cumpleaños.

—¡Tienes razón! —dijo Dylan— Claire, ¿ése es el único secreto que sabes?

—¿Sobre Massie?

—Sobre quien sea —dijo Dylan.

Claire sabía que se iba a ganar dobles puntos de chisme si le decía a Dylan sobre la beca de Kristen, triples si agregaba lo de su pobreza, y cuádruples si revelaba su verdadera dirección.

—Sí —dijo Claire.

—Sí, ¿qué? —preguntó Dylan.

—Sí, es el único —dijo Claire.

—Bueno, gracias. Adiós —dijo Dylan. *Clic.*

—Adiós —dijo Alicia. *Clic.*

—Nos vemos —dijo Kristen. *Clic.*

—Que descanses —dijo Massie. *Clic.*

Claire se quedó boquiabierta, sin poder decir una palabra. Se sintió mareada y, por un momento, se preguntó si se iba a desmayar, porque el corazón le latía a mil por hora.

¿Cómo iba a arreglar todo eso? Ahora, hasta sus papás estaban enojados con ella. ¿Cómo había podido ser tan estúpida? Estaba en un teléfono celular. ¡Un *celular!* Era imposible que su hermano estuviera en la línea: ¡había sido víctima de una carambola de cinco bandas!

When the dog bites
When the bee stings
When I'm feeling sad
I simply remember my favorite things
And then I don't feel... so bad...

Claire cantó el coro una y otra vez. Después de la tercera vez pensó que era hora de buscar una nueva canción, porque ésta ya no funcionaba.

La mansión de los Rivera
En la cocina
7:58 p.m.
20 de septiembre

Las chicas estaban descalzas, paradas en el mostrador de mármol de la cocina de Alicia, tratando de bajar las pulidas cacerolas y ollas de cobre colgadas en las repisas más altas. A su derecha había dos brillantes refrigeradores Sub-Zero, y a su izquierda, dos fregaderos cromados.

—Rápido —susurró Alicia—. Mi mamá se va a enojar si nos ve aquí paradas sin calcetines.

Ya que habían bajado todo lo que necesitaban, se sentaron a descansar.

Massie se fue al recibidor, y regresó con una bolsa azul marino de L. L. Bean. Sacó una caja envuelta para regalo y se la dio a Kristen.

—¿Qué es esto? —preguntó Kristen, y rompió la cinta con los dientes tratando de abrirla.

—Espera hasta que cada una tenga la suya para que todas las abran a la vez —dijo Massie.

En cuanto entregó la última caja, dio la orden.

—A la una, a las dos y a las tres. ¡Ábranlas!

—¡Dios mío!

—¡Me encanta!

—¡Está increíble!

—Yo también tengo la mía. Massie tomó su bata de satén

blanco del papel de seda que la envolvía, y la sostuvo frente a su cara. Decía *Glambición* en la espalda, bordado en letras violetas, y *Massie* por delante, en la esquina de arriba a la izquierda. Cada bata estaba personalizada.

—Pensé que nos veríamos mejor en ellas que en simples batas de laboratorio —dijo Massie.

—¡Por supuesto! —dijo Alicia.

Se las pusieron y se arremangaron.

—Me encanta nuestra compañía —dijo Kristen—. Ahora sólo falta que hagamos los productos.

El viaje a Manhattan era el lunes, lo que significaba que tenían sólo dos días y medio para crear toda su línea.

Alicia formó una larga fila de pastilleros redondos de plástico transparente, que había comprado en la farmacia. Dylan rebuscó entre cacerolas y sartenes, sin importarle el ruido que hacía.

—Silencio, vas a despertar a los vecinos —dijo Alicia. Era una broma, por supuesto. El terreno de los Rivera eran tan grande, que los vecinos más cercanos estaban al menos a un cuarto de milla de distancia.

—Hablando de vecinos, me pregunto qué estará haciendo Claire —dijo Massie.

—A lo mejor se regresó a Orlando —dijo Alicia.

—Seguro que nuestra llamada la puso nerviosa. Si yo fuera ella —dijo Massie—, probablemente me cambiaría de escuela.

—Esperemos que lo haga —dijo Dylan.

—No puedo creer que las haya engañado con los mensajes instantáneos por tanto tiempo —dijo Massie.

—No puedo creer que se haya metido en tu cuarto tantas noches sin que la descubrieras —dijo Kristen.

—Sí, fue impresionante —dijo Massie con una sonrisa distante. Vio que sus amigas la miraban como si estuviera loca—. Digo, me sorprendió que se le ocurriera la idea, porque se ve tan buena niña. Parece algo que habríamos hecho nosotras.

—¿Podemos empezar ya? —dijo Kristen agitando un papel.

—Dime lo que necesitamos y yo lo traigo —dijo Dylan, que estaba parada frente a la alacena abierta, lista para sacar los ingredientes de la receta que Kristen iba a leer.

3 onzas de aceite de almendras
½ onza de cera de abejas
2 cucharadas de miel
3 o 4 gotas de aceite de menta.

—¿De dónde sacaste la receta? —preguntó Dylan.

—De la Internet —dijo Kristen, que leyó las instrucciones en voz alta para que Massie pudiera seguirlas.

—Calentar la cera y el aceite de almendras en una olla pequeña a fuego lento, hasta que la cera se derrita —leyó.

Al completar el primer paso, Alicia continuó.

—Retirar del fuego, añadir la miel y mezclar bien —leyó Kristen.

Alicia le pasó la cuchara de madera a Dylan. Kristen siguió:

—Revolver la mezcla de tanto en tanto mientras se enfría, para evitar que se corte. Debe tener la consistencia de la vaselina, cuando quede lista.

Cuando terminó de leer, tomó la cuchara que le pasó Dylan y revolvió la mezcla. Para Kristen era importante que todas ayudaran a crear el brillo de labios.

Kristen metió un dedo en la mezcla que empezaba a enfriarse. Se llevó el dedo a la boca, y sacó la lengua para probarla.

—Qué asco —dijo Alicia, arrugando la nariz.

—¿Qué tiene de malo? Todos los ingredientes son comestibles —dijo Kristen.

—Déjame probarla —Dylan pasó un dedo por la orilla de uno de los pastilleros y lo lamió—. No está tan mal.

—¿Quieres un poco? —Dylan le pasó el pequeño recipiente a Massie.

—No, gracias. Soy alérgica a las almendras —dijo.

—¿Por qué no me dijiste? —preguntó Kristen—. Hubiera buscado otra receta.

—Yo *ya tengo* brillo de labios —dijo Massie—. ¡Esto lo hago por pura imagen!

Las chicas se rieron del intento de Massie de sonar como una empresaria. Pero la sonrisa en su cara había aparecido por otra razón. Estaba feliz de haber recuperado a sus amigas.

La casa de Huéspedes
En el cuarto de Jay y Judi
8:00 a.m.
29 de septiembre

Claire pasó tropezando con la fila de fotos familiares apiladas junto a la pared del cuarto de sus papás, y se tiró en la cama de hierro forjado y con dosel. Se sintió aliviada de que las fotos todavía no estuvieran colgadas. Si todavía no estaban del todo instalados, quizá quisiera decir que no se iban a quedar por mucho tiempo. Tal vez se mudarían más pronto de lo que pensaba.

Se envolvió en el edredón de estilo campesino con volantes, y se acurrucó.

—Mamá, me siento mal —dijo.

Judi estaba en el baño, en brasier y pantimedias, secándose el cabello. Su mini TV portátil estaba encima de una pila de libros de autoayuda en el lavabo: era adicta a *The Daily Grind.* Claire no le había dicho que conocía a la hija de Merri-Lee Marvil, porque entonces tendría que explicarle por qué no podía presentársela.

"Lo siento, mamá, sé que hiciste cola durante diecinueve horas para ver *The Daily Grind,* cuando filmaron programas para una semana en Disney World... Sí, ya sé que eres miembro del Club de la Receta del Mes de Merri-Lee Marvil, pero eso no cambia el hecho de que su hija me odie... No sé bien por qué... Todo comenzó cuando me vio por primera vez... No, no creo que nos hagamos amigas... En realidad, hubo una oportunidad, pero la eché a perder hablando a sus espaldas, y luego me descubrieron... ¿Mamá... a dónde vas? ¿Por qué empacas mis cosas? ¿Por qué me echas de la casa? Pero si yo no quiero vivir con otra familia…".

—Mamiiiii —Claire rodó de un lado a otro, y se abrazó las rodillas para mayor efecto.

—¿Qué tienes? —preguntó Judi—. ¿Estás enferma?

—Creo que me hizo daño la comida —dijo Claire.

Finalmente Judi se apartó de la pantalla, y se acercó a la cama.

—¿Cómo pudo pasar? Ni siquiera tocaste tu cena anoche.

—Quizá me dio gripe. Probablemente sea mejor que me quede en casa —propuso Claire.

—Entonces vamos al doctor —dijo Judi.

—Seguro que me sentiré mejor en unas horas —dijo Claire, quejándose—. ¿No podemos esperar un poco?

—Mejor, dime qué está pasando, Claire. Te puedo llevar a la escuela, y hablamos en el camino —dijo Judi.

Claire metió el celular en el bolsillo de la piyama, y subió corriendo al ático. Trepó sobre un triciclo rosa, dos bicis de montaña, un monopatín Razor, varios pares de patines, raquetas de tenis, un Jeep en miniatura motorizado y cajas con letreros que decían *Beanie Babies, Barbies* y *Colección de cordones de zapatos.* Era como el cementerio de los juguetes de Massie. Finalmente, llegó a una ventana en forma de diamante que daba a la entrada de la casa de los Block. Isaac estaba limpiando algo del techo de la camioneta (¿suciedad de pájaros?), y Massie estaba recargada en la puerta trasera hablando por el celular. No le gustaba esperar dentro de la camioneta.

Claire le marcó a Isaac y lo miró sacar el teléfono del bolsillo interior del saco.

—Hola, Claire, ¿ya vienes?

—En realidad, te hablo para avisarte que hoy mi mamá me va a llevar a la escuela —Claire vio que Massie cerraba su teléfono y se acercaba a Isaac—. Es que vamos a ver algunas casas de camino a la escuela.

—No se van a cambiar de casa todavía, ¿verdad? —preguntó Isaac.

—Quizá sí —dijo Claire.

Después de colgar el teléfono, Claire vio cómo Isaac le explicaba la situación a Massie. Cuando Isaac siguió limpiando, Massie volteó hacia la casa de huéspedes, se pasó los dedos por el cabello, y casi parecía afectada por la noticia.

Lo que Judi le contestó a Claire para animarla era de esperarse. Frases que las mamás aprenden a decirle a las hijas en esas situaciones, por ejemplo: "no vale la pena sentirse mal por esas chicas", y "dentro de poco se van a dar cuenta de lo que se pierden", y "cuando tenía tu edad me pasó algo parecido", pero no era suficiente. Especialmente cuando la dejó frente al autobús escolar lleno de sus compañeras de clase, que esperaban ansiosamente su llegada. En realidad, no porque la quisieran tanto, sino porque no podían irse sin ella. Vincent, el maestro de arte y chaperón por ese día, no lo permitía.

Claire le dio un rápido beso de despedida a su mamá, y se bajó del auto rentado.

—Estaba a punto de llamar a los estudios ABC y preguntarles si no les importaba grabar *All My Children* unas horas después, porque Claire Lyons había llegado tarde —dijo Vincent—. Pero si puedes encontrar un asiento en este *mismo* instante, no lo haré.

La mirada de Claire fue hacia Massie, Kristen, Alicia y Dylan, que estaban sentadas en la última fila del autobús, el único asiento donde cabían las cuatro juntas.

Justo en frente de ellas había espacios libres que nadie se atrevía a ocupar sin invitación. Y por si acaso, las chicas habían echado ahí sus sacos, bolsas y libretas.

—Alicia, quizá le puedas *comprar* a Claire una compañera de asiento —dijo Dylan, en voz alta, para que todas la oyeran.

Sus amigas chocaron las palmas en alto, que fueron como disparos para Claire. Algunas otras chicas en el autobús se rieron, lo cual molestó aún más a Claire, porque ni siquiera sabían de qué hablaba Dylan.

—Claire, yo te ofrecería un lugar acá atrás, si las piernas gordas de Dylan no ocuparan tanto espacio —dijo Alicia.

Más disparos.

Claire no sabía cómo iba a sobrevivir ese día. No tenía a nadie de su parte.

—Claire, siéntate ya —ordenó Vincent.

El único lugar que quedaba estaba junto a Layne. Meena y Heather no estaban a su lado, y Claire se imaginó que estaban enojadas con ella, porque las había cambiado por Massie. Parecía que todo había vuelto a la normalidad para todas, menos para Layne y para ella.

A Claire le dio gusto ver que las uñas de Layne ya no estaban pintadas de "Rosa Massie", y habían regresado a sus tonos acostumbrados de verde y azul. Estaba peinada con dos coletas, y llevaba sandalias de hule con calentadores en las piernas. Finalmente, Layne había vuelto a ser la de siempre. Por desgracia, eso también significaba que su termo con avena las acompañaría hasta Manhattan.

Al sentarse, Claire logró evitar ver a los ojos a Layne. Se sentó junto al pasillo, y rogó que la raptara un platillo volador. Pero el ruido de los frenos y el del motor al arrancar le recordaron que nadie iba a venir a rescatarla.

En el momento en que el autobús dio la vuelta para salir del estacionamiento de la escuela, las treinta chicas a bordo cobraron vida. Las divas pop subieron el volumen de su estéreo portátil, las chupamedias rodearon a Vincent para preguntarle en qué escuela había estado de niño, y el conductor le contaba historias de guerra a las perdedoras que habían quedado detrás de su asiento. Sólo en la parte de atrás había silencio porque Massie, Kristen, Alicia y Dylan hablaban en voz baja.

—Su atención, por favor —gritó Massie, y esperó pacientemente a que el ruido se apagara.

Claire siguió mirando hacia adelante, sin hacerle caso.

—Gracias, Kara —dijo a una de las divas pop, que había bajado el volumen de su música—. Quiero presentarles una nueva línea de cosméticos llamada Glambición. Y para contarles más, las dejo con la presidenta de la compañía, Kristen Gregory.

Massie empezó a aplaudir y las demás la siguieron.

Claire no podía resistir más. Giró el cuello, y apoyó la mejilla izquierda contra la tela áspera del asiento, para poder ver lo que pasaba con el ojo derecho.

Las cuatro chicas llevaban sus batas de satén blanco. Cruzaron las piernas y voltearon a ver a Kristen, que ya estaba de pie y se dirigía a todas.

—Glambición es una nueva marca de productos de belleza hechos, cien por ciento, con ingredientes naturales —a Claire le sonó como una actriz en decadencia en un infomercial—. En las siguientes semanas les presentaremos nuestra colección de cremas, exfoliantes, brillos corporales y rubor en tinte, pero hoy estamos lanzando nuestro brillo transparente. Viene en cuatro sabores: Massie, Dylan, Alicia y Kristen. Como ustedes son nuestras primeras clientas, les ofrecemos este especial producto al increíble precio de cinco dólares con cincuenta cada uno, y dos por diez dólares.

Massie se levantó y agregó: —No sólo se ve bien, sino que a los chicos de Briarwood les encanta el sabor. ¿Se entiende lo que quiero decir?

Vincent se quedó boquiabierto, y apoyó la palma sudorosa de la mano en una de las ventanas para no caerse en el momento en que se levantó para señalar con su "dedo acusador" a Massie.

—¡Mentiras! —dijo Layne, en voz baja para que sólo Claire la oyera—. El chico de Briarwood del que habla está locamente enamorado de *su novia.*

Pero era obvio que las que escuchaban embobadas a Massie no tenían ni idea. La aplaudieron entusiasmadas, con exclamaciones que demostraban que no solamente aprobaban su conducta, sino que también les gustaba besar a esos chicos.

—No me importa —dijo Claire, apoyando la cabeza en el respaldo del asiento.

Ya se veían algunas manos levantadas; otras muchachas gritaban cuántos brillos querían; y todas luchaban por atraer la atención de Kristen.

—Nada mal para empezar, ¿eh? —Massie caminaba por los pasillos entregando los brillos y cobrando, lo mismo que Kristen, Alicia y Dylan.

—Yo quiero uno —dijo Layne—. ¿Por qué no?

Claire vio cómo Layne evitaba su mirada de reprobación al darle un billete de diez dólares a Alicia.

—Hoy sólo tenemos de menta, cereza, vainilla y frambuesa. No hay de avena; lo sentimos —dijo Alicia—. Quizá la próxima semana.

Luego miró a Claire, y con la voz más fuerte que pudo dijo: —Ah, por cierto, Claire, tenemos una nueva línea que saldrá el mes que entra, se va a llamar DOBLE CARA. Mejor espera a que salga, es más de tu estilo.

Claire arrancó una tira de hule de su tenis. Pensó en decirles que deberían sacar una nueva línea llamada CABEZAS HUECAS, pero decidió quedarse callada.

—Claire, siento haberte dejado por Massie —dijo Layne tan rápidamente que a Claire le tomó un segundo entender lo que decía.

—No, no lo sientes —dijo Claire—. Lo que sientes es que Massie te haya botado sin miramientos.

—Podría decir lo mismo de ti —replicó Layne.

—Pero yo nunca te abandoné, Layne —dijo Claire.

—¿Y qué tal la noche que tenías que cuidar a tu hermano "enfermo"?

A Claire le ardió la cara de vergüenza.

—¿Cómo supiste? —preguntó Claire.

—¿Ya se te olvidó que era "amiga" de Massie?

—¿Por qué no me dijiste nada cuando lo supiste?

—Bueno... —dijo Layne. Luego hizo una pausa y respiró hondo—. La verdad es que yo habría hecho lo mismo. Pero nunca más, lo prometo —dijo alzando el dedo meñique y esperando pacientemente por el de Claire. Pero Claire todavía no podía aceptarlo.

—Anda, te perdono si tú me perdonas —dijo Layne.

Claire miró la pequeña uña pintada de verde y luego a Layne, directamente a los ojos. Le sostuvo la mirada por un segundo, y cuando sintió que su propio gesto se suavizaba, miró su mochila, esperando que su cara "dura" le durara un poco más.

Abrió y cerró varios bolsillos antes de encontrar su cámara. Apretó un botón y miró la serie de fotos que había tomado en los últimos días.

—Te perdono, y volvemos a ser amigas, si puedes explicarme *esto* —puso la pantalla enfrente.

La primera foto era de Layne hablando con Massie en un pasillo desierto, con una falda blanca a la rodilla, una Izod verde lima y zapatillas de piso puntiagudas blancas. Massie llevaba exactamente lo mismo, salvo que su blusa era azul marino.

—¿Qué tal, mini Massie? —bromeó Claire.

Layne soltó una risotada y se enrojeció.

—Está bien, lo admito, fui una imitadora de Massie por unas cuantas semanas —dijo Layne—. ¡Pero no más; ya regresé! —y señaló sus calentadores morados para probarlo.

—Al menos duraste unas pocas semanas. La mayoría en este autobús ha aguantado más que eso —dijo Claire.

Las dos se rieron y se trenzaron los meñiques.

—¿Amigas? —preguntó Layne.

—Amigas —contestó Claire.

—Siento anunciarles que Massie, Alicia, Kristen y Dylan se agotaron —anunció Kristen—. Pero si les interesa recibir nuestro boletín electrónico, Dylan va a pasar una libreta para que apunten sus datos.

Kristen llevó todo el dinero a la parte trasera del autobús, y lo contó con sus amigas, juntando las cabezas para que las otras no lo vieran. Les pagó veinte dólares a cada una por su trabajo, y se guardó el resto en su cangurera de Miu Miu.

Mientras tanto, Claire y Layne trataban de ocultar la cara en el espacio entre los dos asientos, para reírse del mar de labios grasosos y embarrados.

—Probando, probando —dijo Vincent por el altavoz, retorciendo el cable negro del micrófono, mientras que con el pulgar mantenía presionado el botón a un lado del aparato para amplificar la voz.

—ESTUDIANTES —y su voz casi hizo explotar los oídos de las estudiantes. Después de ajustar el control del volumen, volvió a intentarlo—. Estudiantes —dijo con voz normal—. Así está mejor.

—Tontín —gritó alguien tapándose la boca para disimular la voz, desde los asientos de la parte trasera, y se oyeron unas cuantas risas.

Vincent se jaló la barbita de chivo y apretó los labios, de modo que parecía que no tenía boca. Esperó pacientemente a que terminaran las risitas.

—Como algunas de ustedes ya saben, nos permitirán visitar el set de grabación de *All My Children,* porque sucede que soy muy amigo de uno de los actores. Así que espero que se porten muy bien...

—¡Esto ardeeeee! —gritó alguien en medio del bus— ¡Se me queman los labios!

Amanda Levine se levantó, y se abanicó la cara como para apagar un fuego.

—Los míos también —se quejó Noel Durkins, dirigiéndose a la parte trasera del autobús. Casi se le salen los ojos cuando vio las reacciones de todas al verla.

—¿Qué, qué me pasa, qué tengo? —gritó.

—Dios mío, parece que se puso implantes en los labios —le dijo Layne a Claire.

—Vaya que sí —dijo Claire.

Massie se abrió paso entre los gritos, y le arrebató el micrófono a Vincent.

—Cálmense —dijo con una sonrisa falsa—. Es sólo la reacción de los emolientes naturales en los labios. No hay nada de qué preocuparse.

—A mí también me arden —gritó Debby Weezer.

—Debby, háblale al cirujano plástico de tu mamá —dijo Michelle Powers.

—Por enésima vez, Michelle, ¡mi mamá *no tiene* un cirujano plástico! —replicó Debby.

Massie volvió a usar el micrófono.

—Sólo por curiosidad, ¿cuántas de ustedes son alérgicas a las nueces de cualquier tipo? Levanten la mano.

Por lo menos diez manos se alzaron.

—Gracias —dijo Massie, le devolvió el micrófono a Vincent, y regresó al fondo del autobús.

—Que nos devuelvan el dinero —gritó Carrie Drebin.

—¡Sí, que lo devuelvan! —la apoyó Debby.

—Yo sólo quiero que mis labios vuelvan a ser normales —dijo Carolyn Rothstein.

—A mí me dan comezón —dijo Carly Cooper.

Vincent dijo por el micrófono: "Por favor, *cálmense ya,* todas".

Pero no lo hicieron. Los lloriqueos de Kristen se oían hasta el frente del autobús y, mezclados con los chillidos de las demás, creaban una sinfonía histérica.

—Voy a reprobaaaaaar —decía Kristen gimiendo.

Vincent le dijo algo al oído al conductor, y el autobús se detuvo a orillas de la carretera.

—*¡Basta* de gritos, brujas!—exclamó Vincent—. No puedo ni pensar con tanto ruido.

El hecho de que no tuviera nada útil que decir sólo hizo que las chicas se asustaran más.

Layne y Claire fueron las únicas que lograron mantener la calma.

—Está vibrando —dijo Layne señalando la mochila de Claire.

—¿Qué? —preguntó Claire— Debe ser mi teléfono.

Layne frunció el entrecejo cuando Claire sacó el celular plateado de la mochila.

—¿Desde cuándo tienes un...?

—Es una larga historia —dijo Claire, y cortó la llamada al no reconocer el número.

Volvió a sonar.

—¿Quién *es*? —preguntó Layne.

—No lo sé —dijo Claire, y colgó por segunda vez—. Debe ser alguna broma.

La tercera vez se oyó un timbre distinto, que indicaba que había un mensaje de texto. Claire revisó la pantalla.

914-555-8055: AVENA
CLAIRE: DJEN A LAYNE EN PAZ!
914-555-8055: NO M ENTNDIST. LA AVENA PUED SERVIR X Q ES BUENA P CALMAR LA PIEL. LO LEÍ EN COSMO ☺

—Layne, ¿tienes más avena? —preguntó Claire, buscando en su mochila sin esperar la respuesta.

Layne le quitó la mochila. —¿Por qué se obsesionan con mi avena? ¡Dios mío! Tienen que conseguirse otra cosa. Esto se está volviendo muuuuuy aburrido.

—No, Layne; tu avena puede ayudar —dijo Claire—. Me acuerdo que mi mamá me dio baños con avena cuando se me irritó la piel con hiedra venenosa, y sí funciona.

Trató de quitarle la avena a Layne, pero no era tan fácil.

—¿Por qué las voy *a ayudar*, si se la pasan burlándose de mí? —preguntó Layne.

—Ahora verás por qué —Claire le arrebató el termo, y avanzó entre las chicas que gritaban y trataban de verse en el espejito de mano de Carly.

—Esto las puede ayudar —gritó Claire con todas sus fuerzas, y levantó el termo bien alto, como si fuera Moisés mostrando las Tablas de la Ley.

—¡Ayúdame! —gritó Noel.

—¡No, a mí, mira mi boca! —dijo Michelle.

—Les va a costar dos dólares —dijo Claire.

Layne la escuchó divertida, y le mostró el pulgar hacia arriba.

Las enfurecidas chicas fueron hacia Kristen a exigir la devolución de su dinero.

—¿Qué tienes ahí? —preguntó Vincent.

—Es avena —dijo Claire con una orgullosa sonrisa.

—Me niego a permitir que le cobres a estas chicas que sufren por darles este cereal —dijo Vincent.

—¿Ah, sí? Si fue usted quien dejó que pagaran por el brillo de labios venenoso —exclamó Layne.

—Ten estos cinco dólares —dijo Carly mostrando un billete—. ¡Pero apúrate!

Claire miró a Vincent, que dio un manotazo en el aire, como diciendo "no quiero tener nada que ver con esto", y se sentó en el asiento vacío detrás del conductor.

Claire empezó a repartir raciones de avena, y Layne la seguía recogiendo el dinero.

Una por una, las chicas metían la mano en el vasito del termo, tomaban un poco de avena y se embarraban los labios, sin preocuparse por las pasitas que se les resbalaban por el mentón.

El autobús quedó en silencio cuando acabaron de ponerse la avena. Todas se quedaron calladas, cubiertas de avena pegajosa, mirando el camino. Nadie quería abrir la boca por miedo a tragarse la avena por error.

Únicamente se oía a Kristen llorando al fondo del autobús. Todas pensaron que estaba exagerando un poco, pero sólo Claire sabía cuánto necesitaba sacar esa A... y el dinero.

El autobús dio la vuelta para dirigirse hacia el norte por el Saw Mill River Parkway. El viaje a *All My Children* se había convertido en una visita al Centro Médico de Westchester.

Las chicas que tenían la cara hinchada bajaron del autobús y corrieron a la puerta de urgencias, seguidas de Vincent, quien les pedía que se calmaran. Las pocas que tenían la cara normal se fueron por su lado. Massie llevó a la mitad a la máquina expendedora, mientras la otra mitad se quedó esperando afuera del autobús.

—Gracias —dijo Kristen. Claire estaba agachada atándose los cordones, y no se dio cuenta de que le hablaban.

—En serio, de verdad, muchas gracias —insistió Kristen.

Claire seguía agachada, pero alzó la cabeza para ver si esa persona de verdad le hablaba a *ella.*

—No me des las gracias a mí; la avena era de Layne —le dijo Claire.

—No, no por eso, sino por lo otro que ya sabes —Kristen miró a su alrededor para asegurarse de que nadie las oyera.

—Aaaaah, eso. Bueno, te prometí no decirle a nadie, ¿cierto? —le gustó cómo sonaron esas palabras, sinceras, sin segundas intenciones. Casi se le había olvidado que existía esa parte de sí misma.

—De hecho, me da gusto habértelo dicho a ti, y no a Massie —Kristen volvió a mirar a su alrededor antes de seguir hablando—. Ya ves, ahora tienes dos secretos que guardar.

—No te preocupes, pero qué pena lo que pasó con tu compañía; lo siento —dijo Claire, y lo decía de verdad.

Pero Kristen no le contestó, porque ya se había dado vuelta para ir a buscar a sus amigas.

La Range Rover
En la sección de Primera Clase
8:10 a.m.
1 de octubre

—Mira, Dyl, tu mamá está enseñando fotos de tu fiesta —dijo Massie, y subió el volumen de la TV y cerró las ventanas de la camioneta para no perderse ni una palabra del programa. Las chicas se reclinaron en sus asientos y clavaron los ojos en la pantalla.

—Justin Timberlake, ¡me encanta, mírenlo! —dijo Merri-Lee, mostrando una foto del músico, metiéndose un gran bocado del pastel de Dylan en la boca. La cámara hizo un acercamiento.

—¿Dónde están las fotos contigo y conmigo, mamá? —le preguntó Dylan al aparato.

—Y ésta es la cumpleañera, mi hija Dylan. No tengo idea de dónde sacó ese fabuloso cabello rojo, porque el mío viene de las manos de Rena, la maravillosa peluquera experta en coloración del Avalon. Te adoro, Rena. —Merri-Lee lanzó un beso a la cámara—. Nos vemos el martes —el público festejó la ocurrencia con risas y aplausos.

—No puedo creer que tanta gente piense que mi mamá es graciosa —dijo Dylan.

—Y aquí la tienen de nuevo, bailando con sus guapísimas amigas —dijo Merri-Lee, justo después del corte—. Todas podrían ser modelos, nada más véanlas —y la cámara enfocó una sensual toma de Alicia mirando directo a la cámara.

—¡Qué horror, me veo toda sudorosa! —gritó Alicia.

Dylan se removió en su asiento. Massie sabía que Dylan pensaba que su mamá alababa demasiado a Alicia por su físico. Cosa que no hacía casi nunca con su propia hija.

La respuesta de Dylan fue recogerse un grueso mechón de cabellos rojos y soltarlo sobre sus hombros. Pero su cabello era tan pesado, que hizo que sus orejas se doblaran como tacos tejanos.

Massie sacó su teléfono.

MASSIE: OREJAS
KRISTEN: YA VI
ALICIA: MSERO??, HAY 1 PLO N MI TACO!
KRISTEN: YA VI!
MASSIE: Q? NO T OIGO!

Dylan no se dio cuenta de que se estaban burlando de ella hasta que las oyó riéndose al mismo tiempo.

Sus ojos iban de Alicia a Massie y a Kristen. —¿Qué pasa? —preguntó. Las vio tratando de esconder sus teléfonos, y se fue directo contra Alicia, que era la más débil, para quitárselo. —¿Qué escribieron?

Dylan presionó el botón para recorrer la pantalla.

—¿Ah, sí? —se rió Dylan—. Pues al menos yo no aparecí como un pollo rostizado en cadena nacional —le dijo a Alicia.

Hasta Isaac se rió de su ocurrencia.

Massie sintió de repente una ola de calor que la recorría desde el estómago. Ella lo llamaba "el sentimiento", y le pasaba cada vez que tenía esa auténtica sensación de "quiero a estas chicas". No le pasaba a menudo, pero cuando sucedía, era tan fuerte que podía hacerla llorar.

Como si el momento hubiera sido demasiado bueno para ser cierto, Massie miró por sobre su hombro, nada más que para asegurarse de que Claire no estaba en el asiento trasero, pisándole los talones y oyendo todo lo que decían. Y no, no estaba. Por fin, las cosas habían vuelto a la normalidad y cada quien estaba exactamente en su lugar.

El Jaguar
En el asiento trasero
8:10 a.m.
1 de octubre

—Dime que sí vas a ir a la subasta de los Block a beneficio de la OCD el viernes en la noche —le dijo Claire a Layne. Estaban sentadas en el asiento trasero del Jaguar del señor Abeley, con los pies descalzos apoyados en la rejilla del aire acondicionado, tratando de ver quién de las dos aguantaba más tiempo sin moverse. Nunca jugaban por un premio; sólo por el placer de ganar.

—Vamos todos los años —dijo Layne—. Y, si podemos estar lejos de Massie y sus amigas, podemos pasarla muy bien.

Claire se reclinó en el asiento delantero del auto, y giró el cuello para poder ver el asiento del pasajero.

—Chris, ¿tú y Fawn van a ir? —le preguntó, echándose a la boca un osito de goma y dejando la bolsa abierta para Layne.

—No nos lo perderíamos por nada —dijo Chris.

—¡Fabuloso! —exclamó Claire en voz baja dirigiéndose a Layne. Estaba ansiosa de que Massie conociera a Fawn.

Chris volteó hacia Claire, quien notó que los ojos de él eran exactamente del mismo tono que su camisa azul real de Polo.

—Es como un patio de comida rápida de centro comercial, pero de cinco estrellas. Tienen chefs que sirven todos los platillos que te imagines. ¡Es increíble!

Chris podría haber recitado el manual de una computadora,

y de todas maneras Claire estaría embobada. Si tuviera que decir una cosa buena de Massie, diría que tenía buen gusto para los muchachos.

—Pero lo mejor es ver cómo el señor Block se emborracha y hace el ridículo —dijo.

—¡Chris, no digas eso! —lo regañó el señor Abeley.

—¿Por qué, papá? Tú sabes que es verdad —se rió Chris—. El año pasado se puso a hacer malabares con tres botellas de champaña, *y las tiró* —volteó a ver a su hermana—. Layne, estuvo genial cuando me mandaste el video por correo electrónico al internado. Creo que se lo pasé a cada uno de mis compañeros en Kingsley.

Claire se rió. Estaba entusiasmada con la idea de la fiesta, especialmente ahora que tenía a alguien de su parte.

—¿Ya vas a quitar los pies? —preguntó Layne provocándola con la esperanza de ganar, después de perder por dos días seguidos—. Creo que tus dedos se ven azules de frío.

—No te preocupes por mí —dijo Claire, sabiendo que unas semanas atrás se habría rendido mucho antes.

La escuela OCD
En la escalera
3:25 P.M.
3 de octubre

En los escalones de piedra a la entrada de la OCD estaban todas las chicas esperando que las recogieran después de clases. Parecía que el aire fresco quería eliminar completamente los últimos rastros de calor de la estación. Y parecía que todas estaban recibiendo la nueva temporada con ropas de última moda en ropa abrigada.

Por lo menos la mitad de las chicas llevaban chaquetas de mezclilla oscura, que rogaban ser usadas para quedar más suaves.

—Parece que hubo una explosión en la fábrica Levi's —se burló Kristen.

—¿Qué, ya nadie piensa por sí misma? —se preguntó Dylan.

Alicia le dio a Massie en el brazo.

—¡Ay! —Massie se sobó el brazo.

—¡Poncho de Burberry! —gritó Alicia—. Y no se vale devolver el golpe.

Una chica envuelta en lo que parecía una cobija para caballo puso los ojos en blanco, y las dejó atrás.

—Te vas a arrepentir —bromeó Massie, y se tronó los dedos, tratando de parecer muy dura. Miró a su alrededor a ver si encontraba a alguna chica que llevara algo de Burberry para poder vengarse de inmediato, pero no tuvo suerte.

—Les sugiero que se pongan una capa de tela acolchada

para la subasta de hoy —advirtió Massie—. Las amigas de mi mamá todavía piensan que Burberry es genial.

—¿Oigan, no quieren venir a arreglarse a mi casa? —les ofreció Alicia.

Dylan miró a Massie, esperando su respuesta.

—No puedo —dijo Massie—. Va a venir Chris Abeley, y eso significa que sólo tengo tres horas para transformarme en un "diez". Definitivamente voy a necesitar mi secadora de cabello y mis cosas.

—Yo tampoco puedo —dijo Dylan.

—¿Kris? —preguntó Alicia.

—Tengo que empezar mi proyecto para que me den más créditos —anunció Kristen.

—¿Cómo convenciste a tu maestra de mujeres empresarias de que te diera ese proyecto? —preguntó Massie.

—Estaba tan aliviada de que nadie se hubiera enfermado gravemente, y de que los papás no hubieran demandado a la escuela por lo del brillo de labios, que dijo que podía proponerle un trabajo extra, así que me adelanté a leer algunos capítulos en mi libro de economía, y vi que el Capítulo 11 se llama "Cómo declararse en bancarrota". Le mandé un mensaje por correo electrónico y me contestó que, si puedo llenar el formulario correctamente, me va a poner una "A" —dijo Kristen.

—¡Genial! —aplaudió Massie— Y no te preocupes; ya encontraremos una manera mejor de reinar en la escuela.

—Yo no estaba preocupada por *eso* —aclaró Kristen.

—Ya lo sé. Lo dije para mí misma —dijo Massie, con una gran sonrisa.

Cuando Massie llegó a su casa, reinaba la euforia. Los empleados de la empresa de renta de muebles estaban descargando largas mesas de madera, los floristas iban de aquí para allá con grandes ramos de tulipanes y los del servicio de banquetes ya habían invadido la cocina. Toda la ciudad estaría en la mansión de los Block a las 7:30 P.M. Era todo un acontecimiento.

Massie se metió en su cuarto y cerró la puerta con seguro, por si su mamá le pedía que hiciera algún mandado de último minuto. Necesitaba tiempo para relajarse y concentrarse en su arreglo.

Puso cinco discos compactos en el estéreo, presionó el botón de mezcla automática y abrió la puerta del clóset. Luego dio unos pasos hacia atrás, se cruzó de brazos y revisó las armas con las que contaba para la batalla de esa noche. ¿Qué usaría? ¿Las sandalias destalonadas y de tacón alto de Jimmy Choo, los zapatos de tacón corrido de Miu Miu, los de piso de Calvin, las sandalias de Jimmy Choo, las botas *stiletto* de DKNY o los zapatos cerrados de Marc Jacobs? Pues las sandalias destalonadas de Jimmy Choo, por supuesto. Era importante que Chris la viera en algo sexy, en vez de la ropa deportiva que siempre usaba para ir a montar.

En ese momento, sintió un oleada de resentimiento hacia Claire, porque, si la hubieran dejado ir de compras el Día del Trabajo, habría tenido mucho más para escoger.

Después de varios cambios de ropa, Massie eligió un vestido de chifón violeta con escote tipo *halter*, simple y elegante. Se aseguró de que Bean se viera tan bien como ella poniéndole un suéter blanco, con botones dorados en forma de huesos. Tomó la gorra de los Yankees de Chris del escritorio y le echó Chanel No. 19, para que la recordara cuando se la pusiera.

Los sonidos apagados de la banda que tocaba la versión de Sinatra de "Mack the Knife" se colaron hasta el cuarto de Massie. La fiesta había comenzado oficialmente.

—¿Massie? —se oyó la voz de Kendra por el intercomunicador—. Todos preguntan por ti. Baja ya.

—Ya voy, mamá —contestó Massie—. Vamos a romper unos cuantos corazones, Bean.

Bean se dio vuelta y se dirigió hacia la puerta.

Massie buscó a sus amigas en la gran carpa blanca que se alzaba en el patio, pero no las veía. Estaba a punto de marcarles, cuando vio a Chris Abeley en la barra. Pensó en esperar a que llegaran las chicas antes de hablar con él, para que admiraran lo bien que se veían juntos, pero Claire ya estaba con él, así que no había tiempo que perder.

Massie le ordenó a Bean que caminara junto a ella para evitar que la lastimaran al atravesar el gentío. Agradeció que hubiera tanta gente entre ella y Chris Abeley, porque así él no se daría cuenta de que sus tacones se quedaban atascados en el césped a cada paso que daba. En un momento dado, cuando sus tacos se quedaron clavados en el lodo, tuvo que continuar caminando de puntitas.

Massie se agachó para cargar a Bean, de modo que su perrita pudiera finalmente conocer a Chris Abeley. Cuando llegó hasta él, le decepcionó que su mascota se interesara más en la bolsa de gomitas de Claire que en Chris.

—Ésta debe ser Bean —dijo Chris Abeley.

—Así es —Massie saludó a Chris con la pata delantera de la perrita—. Di hola, Bean —podía percibir su ya conocido olor a desodorante y suavizante de telas.

Hubiera querido que tuvieran planes de ir a montar al día siguiente, pero no era así.

—Layne, ¿quieres que te dé otra clase de montar a caballo mañana? —preguntó Massie, mirando a Chris.

Layne intercambió una mirada de entendimiento con Claire antes de responder.

—No, gracias. Claire y yo vamos a ir al cine —dijo metiendo la mano en la maltratada bolsa de gomitas de Claire, se metió un gusano de goma en la boca, y lo sorbió como si fuera espagueti.

—Me alegro, porque eres malísima para montar —dijo Massie entre dientes.

—Te oí —dijo Layne.

—Oh... Chris, aquí tienes tu gorra. Perdona que me la haya quedado por tanto tiempo —dijo Massie.

Chris tomó la gorra y puso cara de fastidio.

—¡Cómo huele a perfume! Por lo visto aquí hay señoras que no saben cuánto es suficiente, y se echan todo el frasco.

En ese instante, Alicia, Dylan y Kristen llegaron a la carpa, y se formaron en la fila para pedirle una pieza a la banda.

—¿Vas a estar por aquí un ratito más? —le preguntó Massie a Chris—. Es que quiero presentarte a algunas personas —y estaba a punto de irse a buscar a sus amigas, cuando Layne la detuvo.

—Espera, Massie, hay alguien que quiero que conozcas —dijo mirando a una rubia de apariencia perfecta, vestida de pies a cabeza en Calvin. Estaba parada cerca del grupo hablando con unas chicas de preparatoria. Las lámparas de papel que iluminaban la carpa le daban un resplandor cálido a su piel de comercial de Clean and Clear.

—Fawn, te presento a Massie Block —dijo Layne.

La chica volteó como si estuviera en cámara lenta, y parecía que alguien hubiera presionado el botón de silencio en las charlas y las risas a su alrededor.

Fawn extendió gentilmente su bronceado brazo para darle la mano a Massie.

—Tienes una casa preciosa —dijo Fawn al saludarla.

—Gracias —dijo Massie.

—Fawn es la novia de Chris —anunció Layne.

Massie oyó la risa de Claire.

—Y están juntos desde el séptimo grado —agregó Layne.

—Que Massie te enseñe también a ti a montar —dijo Chris, y rodeó con sus brazos la delgada cintura de Fawn—. ¿Vamos mañana todos juntos?

—Puede ser —dijo Massie, asegurándose de que su zapato no estuviera clavado en la tierra para irse sin problemas—. Hablamos en la mañana. Quizá tenga cosas que hacer en la ciudad, pero les aviso.

Massie dejó a Bean en el suelo con cuidado, y se alejó lo más rápido que pudo.

—Gusto en conocerte, Dawn —dijo por encima del hombro.

A Massie le quedaban unos diez pasos para pensar en qué iba a decirle a sus amigas, cuando le pidieran conocer a Chris Abeley (quien, por cierto, de ahora en adelante sería conocido como Chris a secas, porque ya no merecía ser llamado siempre por su nombre y apellido). Massie *odiaba* perder. Perder la *enfermaba,* pero hasta ella sabía que podía haber sido peor. Massie se alegraba de que fuera Fawn, y no Claire, por ejemplo.

—Te vi hablando con Chris Abeley por allá —dijo Alicia—. Es *un* bombón.

—Corrección: *era* un bombón —dijo Massie—. Pero ya no sirve para nada.

—¿Por quééééé? —exclamó Dylan.

Massie se inclinó hacia sus amigas, y todas juntaron las cabezas para escuchar el chisme.

—Le estaba contando del mesero loco que siempre nos toca en Panache, y se rió tanto que un moco se le salió de la nariz y aterrizó en su manga —dijo Massie.

—¡Fuuuuuchi! —gritaron las tres.

—Shhhh —susurró Massie—. No quiero que sepa que les estoy contando.

—¿Qué hiciste? —preguntó Kristen.

—No quería avergonzarlo, pobre. Hice como si no me hubiera dado cuenta, pero me dio mucho asco.

—Pues de todos modos, parece que esa rubia quiere algo con él —dijo Dylan.

—Pues por mí, que se lo quede —dijo Massie—. Me he perdido demasiados días de compras por su culpa.

—Eso sí, tienes que ponerte el día —dijo Dylan.

—En muchas cosas —Alicia estaba viendo al grupo de cuatro muchachos de Briarwood que venían hacia ellas. Despacito se pasó un mechón de cabello detrás de la oreja, e inclinó la cabeza para poder espiarlos sin que se dieran cuenta.

—Ya vienen —dijo Dylan—. Me pido al de corbata amarilla.

—Esperen, yo lo conozco —dijo Kristen—. ¿No es Ben?

—¿Qué Ben? —preguntó Dylan, algo celosa.

—Ben Zilo, peróxido de benzilo, como el ingrediente de los tratamientos antiacné —dijo Kristen.

Las chicas se carcajearon.

—¡Qué horror! Parece que trae la cara cubierta de yeso —dijo Alicia.

—Es cierto, ¡puaj! —dijo Dylan—. Definitivamente voy a cortar con él.

—Pues ésta es tu oportunidad —dijo Alicia—. Viene directamente hacia nosotras.

—Y también sus a-do-ra-bles amigos —dijo Massie.

Le dio la espalda a los chicos y se puso brillo en los labios.

Cuando volvió a darse vuelta, habló con mucha confianza en sí misma, casi como si se hubiera recargado la pila.

—Tenemos que vernos de lo más divertidas —dijo—. Cuando cuente hasta tres, todas nos reímos. ¿Listas? A la una... a las dos... y a las tres.

La mansión de los Block
En el patio posterior
9:03 p.m.
3 de octubre

"Qué bueno que me puse botas vaqueras", pensó Claire al ver cómo Massie se tambaleaba en el césped y casi se tropezó con una mesita con bocadillos. Layne le estaba contando de una vez que interrumpió a Fawn y Chris mientras se besaban, pero Claire estaba más interesada en Massie y en lo que le estaba diciendo a sus amigas, que estaban cerca de la pista de baile.

Un grupo de chicos atravesaban la carpa poco a poco para acercarse a ellas. Ya los habían visto, pero fingían estarse riendo tanto que no les importaba.

Claire estaba contenta de que ella y Layne fueran amigas otra vez, pero no podía evitar sentir que se estaba perdiendo algo mejor. Se quitó el pensamiento de la mente y trató de concentrarse otra vez en Layne.

—¿Tenían la luz prendida o apagada? —preguntó Claire.

—Apagada, pero la tele estaba prendida, así que pude ver bien —dijo Layne.

La banda comenzó una versión de "We Are Family", de Sister Sledge, y Claire vio cómo los muchachos se animaban a invitar a Massie y a sus amigas a bailar. Claire no sabía si las chicas estaban contentas o avergonzadas de que las invitaran, porque no dejaban de hablarse al oído.

—¿Por qué nadie baila con *nosotras?* —preguntó Claire.

Layne volteó a verla, hizo una reverencia y preguntó:

—Claire, ¿quieres bailar?

—No es exactamente lo que tenía pensado, pero está bien —dijo Claire.

Ya en la pista, imitaron todos los pasos que conocían: piruetas, saltos, patadas con cambio de piernas y el paso de la ola. Un grupo de mirones las rodeó, y todos se divertían con ellas. Claire y Layne eran el centro de atención, y estaban encantadas. Hicieron su número todavía más interesante con giros, bajadas y ruedas de carro para mantener atento al público hasta el final de la canción.

Claire volteó a ver a Massie, quien bailaba con uno de los muchachos. Se veía bien bailando, relajada y con ritmo. Durante el coro de la canción dobló los brazos y los levantó por encima de los hombros. Parecía que estaba a punto de tronar los dedos, pero no lo hizo. Tampoco sonrió ni miró al chico con el que bailaba. Su mirada estaba por encima de él o en el suelo.

Claire tenía la esperanza de que la gente que las veía pensara que ella era más divertida que Massie. Quizá alguno de los muchachos se preguntaría en secreto cómo sería andar con Claire Lyons.

Cuando acabó la canción, Claire y Layne le hicieron una reverencia al público. Tras el gran aplauso, esperaron ansiosamente el comienzo de la siguiente canción para seguir con su espectáculo, pero en ese momento la banda dejó de tocar y se bajó del escenario.

—Es mejor haber bailado y perdido que no haber bailado nunca —dijo Layne con la mano en el corazón, y sin aliento.

—Muy cierto —suspiró Claire—. Muy cierto.

Kendra Block subió al escenario, más tiesa que el hombre de hojalata de *El Mago de Oz*. Sus zapatos plateados de Chanel eran tan altos que tenía que caminar muy despacio para evitar tropezarse con una piedra o una rama caída.

—Damas y caballeros, amigos de la OCD. En nombre de mi familia quiero darles la bienvenida a la quinta subasta anual a beneficio de la escuela —hizo una pausa por los aplausos—. Como siempre, recaudaremos fondos para las becas de la OCD —hubo un aplauso inesperado—, y cuando vean las cosas maravillosas que tenemos para que hagan sus mejores ofertas, ¡van a sacar sus billeteras como de rayo! —otro aplauso—. Ahora le voy a pasar el micrófono a Kevin Ambrose para que empiece esta fiesta, ¡yu ju! —Kendra alzó el puño y sacudió la cabeza como rocanrolera.

—Dios mío, si yo fuera Massie, estaría muerta de pena en este momento —dijo Claire.

—Mira —Layne señaló a Massie, que tenía la cabeza enterrada en el cuello de Alicia, y probablemente estaba deseando que se la tragara la tierra—. Hasta las chicas más populares tienen papás que las avergüenzan.

—Muy bien, amigos. Lo primero que ofrecemos es este masajeador de espalda electrónico de cinco velocidades —dijo Kevin—. Y comenzamos la subasta pidiendo diez dólares.

—Va a ser una noche larga —suspiró Layne—. ¿Qué quieres hacer?

—Podemos irnos a mi cuarto. Sólo quiero esperar a ver qué pasa con mis cosas —dijo Claire.

Layne respiró hondo y tomó un buen trago de refresco.

Después de veinte minutos de aparatos eléctricos, discos

compactos y programas de computadoras, Kevin pasó a la ropa.

Las sudaderas de Claire se vendieron en cincuenta centavos por pieza a Rose Goldberg, quien dijo que las usaría como trapos para pulir la vajilla de plata.

—Muy bien, ¿ya podemos irnos? —preguntó Layne.

—Espera, falta mi ropa elegante —dijo Claire sin verla, pues tenía los ojos puestos en su vestido DKNY, su bolsa con lentejuelas y sus zapatos de Marc Jacobs, que Kevin mostró desde el podio.

—¿Todo eso es *tuyo?* —dijo Layne, sorprendida.

—Alicia me los compró ese único día en que fuimos amigas —dijo Claire mientras se rascaba el brazo.

—¡No puedo creer que te estés deshaciendo de todo!

—El vestido me queda tan apretado que me dio gases, y los zapatos me sacaron ampollas.

—¿Y *qué?* —Layne sacudió la cabeza, confundida.

—Y además, así puedo ver esta escena —Claire señaló a Alicia, que tenía los brazos cruzados y con los dientes de abajo sobre los de arriba, lo que la hacía verse como un buldog.

—Mira lo enojada que está —dijo Layne—. ¿Qué vas a hacer?

—Depende.

—¿De qué?

—De lo que haga —dijo Claire.

Alicia cruzó la pista de baile, furiosa, en dirección a Claire. Dylan iba con ella.

—No tienes derecho a subastar esa ropa —gritó Alicia—. Es mía, y quiero que me la devuelvas.

—Pues será mejor que empieces a ofrecer dinero por ella —dijo Claire.

Layne habría saltado a defender a su amiga, pero se había quedado muda. Claire sabía que Layne estaba sorprendida por su actitud desafiante, y le gustaba verse tan dura y audaz.

—Doscientos dólares —dijo una voz entre el público.

—Trescientos cincuenta —dijo alguien más.

Claire estaba orgullosa de sí misma por haber elegido ropa que recibía tan buenas ofertas.

—Cuatrocientos veinticinco.

—¿Escucho quinientos? —preguntó Kevin.

—Seiscientos dólares —gritó Claire.

—¿Quién ofrece seiscientos cincuenta? —dijo Kevin.

Nadie alzó la mano.

—Seiscientos a la una, seiscientos a las dos, y *vendido* a la señorita de las botas vaqueras —dijo Kevin, golpeando el podio con el martillo.

El único sonido que Claire podía escuchar era el latido del corazón y el de sus botas vaqueras caminando sobre el césped yendo a recoger su ropa.

Le entregó a Kevin un sobre de papel manila lleno de billetes de veinte dólares, y tomó su ropa y su broche con YO APOYO A LA OCD.

Claire le hizo un guiño a sus papás. Se habían enojado mucho con ella al saber que Alicia le había comprado la ropa, y su mamá había insistido en que le pagara a Alicia con el dinero de su cuenta de ahorros. Pero después de una larga discusión, Claire había logrado que sus papás aceptaran *este* plan. Así le podía devolver las cosas a Alicia, y el dinero era para beneficencia. Y ahora todo estaba en su lugar.

—Aquí tienes tu preciosa ropa —Claire le lanzó las cosas

a Alicia al pasar junto a ella. Le hubiera gustado detenerse a verle la cara, pero no podía parar: la adrenalina no la dejaba.

Claire se detuvo cuando llegó a la parte trasera de la carpa, y se dio cuenta de que ya no tenía adonde ir. Se recostó en la pared de lona, esperando que Layne viniera a rescatarla para poder irse con ella. No había manera de quedarse en la fiesta después de haber expuesto a Alicia en público. Sería un suicidio social.

Layne estaba hablando con un guapo mesero, y Claire se esforzó por mandarle un mensaje telepático de auxilio.

"Vamos, Layne, por favor. Layne, ven, ¡LAYNE!". Pero no funcionó.

El sonido que reverberaba del micrófono atravesaba el aire, y todos miraban el escenario como si acabaran de despertar de un largo sueño.

—Perdonen el ruido —tartamudeó William Block. Se mecía tanto que Claire se dio cuenta de que estaba bien borracho. Volteó a ver a Chris Abeley, para saber si lo había notado. Y sí; se cubría la cara con la mano y movía la cabeza de atrás para adelante. Claire casi podía leerle el pensamiento, diciendo "aquí vamos de nuevo", y se moría de ganas de ver qué más iba a hacer William.

—Quisiera llamar a escena, hic, a un viejo amigo para que me ayude con la siguiente, hic, puja —dijo el papá de Massie.

—Les presento a Jay Lyons —Claire se quedó boquiabierta. Y esta vez no se atrevió a mirar a Chris.

—Hola a todos —dijo Jay. A Claire no le pareció que estuviera menos borracho que William.

—Bueno, esto es lo que vamos a hacer —dijo pasándole

el brazo por los hombros a Jay, tan despacio, que parecía que estaban bajo el agua.

—Todo lo que necesitamos son mil dólares más, y la OCD podrá dar otra beca. Así que Jay y yo vamos a cantar "Ninety-nine Bottles of Beer on the Wall".

—Y se las tomaron todas, ¿verdad? —gritó alguien. Todos se rieron.

William no hizo caso de la interrupción y continuó explicando su plan.

—Y no nos vamos a callar hasta que no reunamos todo ese dinero —dijo.

La gente empezó a aplaudir, esperando ver a esos dos hombres mayores haciendo el ridículo, hambrientos de sangre, como si estuvieran a punto de ver una pelea de boxeo.

—Quiero a mi familia aquí conmigo —dijo Jay.

Para deleite de todos, Todd subió al escenario y comenzó a bailar como loco.

—¿Dónde está mi hija? ¿Claire? ¡Claire, ven acá! —Claire sintió un sabor metálico en la boca otra vez, lo que era un signo seguro de que estaba a punto de vomitar. No podía creer que su papá estuviera haciendo eso, ¡no sólo consigo mismo, sino a ella! ¿No entendía que ya tenía suficientes problemas?

Cuando oyó que la llamaba por tercera vez, salió corriendo de la carpa y se refugió en un seto de azaleas.

Cuando ya iban en la botella número noventa y uno, el señor Block empezó a llamar a Massie. Una vez que empezó, no pudo detenerse. —¿Dónde está mi ángel? —dijo al micrófono—. Massie, ven a ayudarnos. Es tu escuela, linda, ¡lo hago por ti!

Claire miró a Massie, sola y de pie junto al escenario. Se

veía muy incómoda. En ese preciso momento Claire vio algo en Massie que la sorprendió y a la vez la confundió. Massie parecía avergonzada, desesperada y llena de miedo. Massie parecía un ser humano.

Claire buscó en su bolsillo y sacó el celular del señor Rivera. Tenía toda la intención de devolvérselo a Alicia junto con la ropa, pero con la emoción del momento se le había olvidado.

CLAIRE: VN A REFUGIART EN LAS AZALEAS.

—¿Dónde está mi nena? —dijo otra vez el señor Block en el micrófono.

Claire se preguntaba lo mismo. Trató de asomarse por entre las plantas para encontrar a Massie, pero no veía más que la espalda del cantinero, parado junto a cajones llenos de copas sucias y botellas vacías. Revisó su pantalla, pero Massie no había respondido. Claire se molestó consigo misma por haber esperado que lo hiciera.

CLAIRE: ¡APÚRAT!

Sus papás ya iban bajando, en la botella número ochenta y nueve, y no mostraban signos de cansancio. Con gusto les habría dado el dinero que pedían, si no se lo hubiera gastado todo en ropa con la que no podía quedarse.

MASSIE: CUIDA A BEAN SI NO SOBREVIVO
CLAIRE: JA JA

—Muévete —dijo Massie en voz baja, en medio de la oscuridad—. Oh, Dios mío, esto es terrible —se había quedado sin aliento cuando se sentó en el suelo junto a Claire.

—Lo sé. No se debería permitir que los papás estuvieran cerca del alcohol —dijo Claire, poniendo los ojos en blanco.

—O de los micrófonos —agregó Massie.

Ambas se rieron torpemente, y pasaron los próximos segundos en un silencio incómodo.

—¿Qué preferirías? —dijo finalmente Claire—. ¿Subir al escenario a cantar con nuestros papás, o esconderte entre las plantas toda la noche y ser atacada por hormigas?

—Creo que las dos sabemos la respuesta... Y ya sabes, tenemos avena por si las picaduras llegaran a ser muy dolorosas —dijo Massie.

—Espera, ¿hablas en serio? —dijo Claire—. Gracias.

Sacó del bolsillo una bolsa Ziploc llena de gomitas y la abrió para Massie.

—¿Quieres una? —ofreció.

—Sí, claro —dijo Massie. Se sacó de la boca un chicle rosa, lo envolvió en una hoja y lo enterró. Claire la vio buscar una gomita dentro de la bolsa, evitando las verdes.

—Pensé que no te gustaban las gomitas —dijo Claire. No con la idea de discutir, sino con verdadera curiosidad por el cambio de opinión de Massie—. ¿No has cenado nada, o qué?

—No, me encantan las gomitas —admitió Massie—. Lo que pasa es que odio cómo me engordan los muslos. Tú tienes la suerte de no sufrir por eso: eres una varita.

Claire vio la pulsera de dijes cuando Massie revolvía dentro de la bolsa.

—No puedo creer que estés usando el dije que mis papás te compraron —dijo sorprendida.

—Ah, sí. Es bonito —dijo Massie amablemente.

—¿De verdad? Creí que lo odiabas —dijo Claire—. Le dije a mis papás que te compraran la coronita dorada o la letra *M,* pero insistieron en el micrófono, porque decían que de niña te gustaba cantar.

—Pues sí, me gustaba —dijo Massie con una sonrisa sincera—. De hecho, hubo un tiempo en que me encantaban los musicales. Me encerraba en el cuarto del sauna a cantar canciones de *Annie* y *Pippin.*

—¿En *serio?*

—Si se lo dices a alguien, te haré la vida imposible —dijo Massie en broma, o casi en broma. Las dos chicas pasaron las dos horas siguientes escondidas en las matas de azaleas, charlando de programas de televisión, de los actores que les gustaban, de sus sitios favoritos de la Internet y de olores asquerosos.

Ni siquiera escucharon a sus papás, felices porque habían conseguido todo el dinero al llegar a la botella número sesenta y ocho. Volvieron a poner atención a la fiesta cuando ya se había acabado y la banda se estaba despidiendo.

—Bueno, creo que ya podemos salir —dijo Claire. No se había dado cuenta del frío que hacía hasta que se levantó.

Massie y Claire se quedaron una frente a la otra. Aunque habían charlado tan a gusto, de pronto se quedaron mudas. Claire se preguntó si lo que les pasaba era parecido a ese momento al final de una cita, en el que no sabes si el muchacho te va a besar o no. Si así era, esperaba nunca tener que averiguarlo.

—Bueno —dijo Massie jugando con la pulsera de dijes—, gracias por salvarme esta noche. Se miró las puntas de los zapatos y se masajeó las sienes con una mano. Su expresión incómoda le recordó a Claire la de una actriz, tratando desesperadamente de recordar el guión—. Me divertí.

"Me divertí."

"Me divertí."

"Me divertí."

Claire se repetía en silencio esas palabras una y otra vez, mientras se preparaba para irse a dormir. Cuando finalmente se metió bajo las cobijas calientitas, buscó su cámara y se puso a ver las fotos. Pasó rápidamente todas las de la escuela, las de Layne, las de las etiquetas con precios altísimos y las de las mansiones hollywoodenses, hasta que encontró la que buscaba. Era la que se había tomado a sí misma la noche de la piyamada de Massie, la que había decidido llamar "Tocando fondo".

La noche en que la había tomado se había hecho una promesa a sí misma. Y al mirar la imagen de sus ojos tristes, la estaba cumpliendo. La foto era para recordarle que nunca, bajo ninguna circunstancia, podía creer que ella y Massie pudieran ser amigas de verdad.

Aunque en esta ocasión, tenía el presentimiento de que las cosas serían distintas.

Pero, por supuesto, no lo sabría con seguridad sino hasta el lunes.

LA MANSIÓN DE LOS BLOCK
EN EL CUARTO DE MASSIE
1:07 A.M.
4 de octubre

Massie se secó después de una ducha bien caliente de unos veinticinco minutos, y se puso su piyama de seda violeta. Le dolía el cuerpo por haberse sentado con las piernas cruzadas durante tres horas, y seguía sintiendo frío por dentro, aunque tenía la piel roja por el agua tan caliente. Se sentó en la cama y le rascó las orejas a Bean.

—Bueno, Bean, sólo queda una cosa por hacer.

ESTADO ACTUAL DEL REINO

IN	OUT
MAMÁS	PAPÁS
EL GUAPO DE LA PISTA DE BAILE CON MOCASINES ANTICUADOS	CHRIS ABELEY
CLAIRE	CLAIRE

Massie tardó veinte minutos más de lo deseado haciendo su reporte, porque no sabía dónde poner a Claire. En realidad, ya no estaba del todo "out", pero era claro que tampoco estaba "in". Cuando Massie pensó en lo mucho que se habían reído escondidas entre las plantas, puso a Claire a la columna "in". Pero cuando recordó lo molesto que era tener siempre encima a una pegote, la movió a la columna "out". Finalmente, cuando ya se moría de sueño, se le ocurrió una buena solución: poner una tercera columna que se llamaría E.Y.V., para las ocasiones como ésta, en las que simplemente había que *esperar y ver.* Así podría tomarse su tiempo y decidirlo la próxima semana.

PREGUNTAS Y RESPUESTAS

LISI HARRISON RESPONDE PREGUNTAS DE SUS LECTORAS

¿Cuándo se hará la película de THE CLIQUE? ¿Me podrían dar el papel de Massie?

Todo el mundo me pregunta lo mismo. ¡TODOS! Durante cuatro años, desde que salió el primer libro de la serie (en inglés), no tuve ninguna respuesta, o al menos ninguna divertida. ¡Por fin la tengo! Después de la larga espera, les puedo anunciar que la película ya se está filmando y saldrá en DVD a finales de 2008. Esta peli es sólo del libro 1, y los productores quieren hacer una para cada libro. ¿No es fantástico? Manténganse informadas sobre el Estado Actual de *este* Reino en lisiharrison.com. Ahí les iré poniendo las últimas novedades, chismes de la filmación, fotos del set, etc...

¿Quiénes son las chicas de la portada?

¿La del medio es Massie o Alicia?¿Dónde está Claire?¿Por qué sólo se ven tres y no cuatro? Las chicas que aparecen en las portadas de los libros son modelos que representan una *clique* cualquiera, no *la Clique*. Ustedes deciden, basándose en mis descripciones y en su propia imaginación, cómo son Massie, Claire, Alicia, Kristen y Dylan. Así que, si les parece que la chica del medio es Alicia, está bien, es Alicia. Y si no, también está bien. ¡Como sea! Bueno... ahora, en la

peli, podrán verlas tal cual son... Yo creo que las actrices que se han elegido son perfectas para cada personaje... ¡Ya nos darás tu opinión!

¿Qué personaje se parece más a ti?

Hasta cierto punto, llevo a todos los personajes dentro de mí. Soy como Massie porque amo la moda, las respuestas ingeniosas y a mi cachorrita Bee Bee. Pero no me gusta causar temor, y nunca querría hacer llorar a nadie, y menos a mis amigas.

Soy como Claire, porque trato de aceptarme tal como soy. Soy como Dylan, porque los eructos me parecen divertidos y me encanta comer. Soy como Layne, porque creo que ser original es chic. Y, de vez en cuando, tengo obsesiones con cierto tipo de comida. Por ejemplo, esta semana he comido sin parar esas empanaditas chinas rellenas de pizza.

Los personajes a los que menos me parezco son Kristen, porque soy pésima para los deportes, y Alicia, porque tengo pechos pequeños y porque nunca seguiría a nadie.

¿Cómo puedes escribir para las de séptimo grado, si es obvio que tú ya no estás en la escuela?

Es muy simple. *ESTUVE* en séptimo grado en algún momento de mi vida, y recuerdo lo que sentía al despertarme en la mañana y preguntarme si mis amigas todavía me querrían, aunque no hubiera hecho nada malo. También recuerdo cómo se siente acosar a alguien; porque, bueno, mejor ellas que yo, ¿cierto? Todas hemos sido

Massies y todas hemos sido Claires en algún momento, y esos sentimientos de abusar y ser víctima de abusos nunca se olvidan.

¿Cómo se te ocurrió la idea de escribir sobre* cliques*?

Trabajé en MTV durante diez años y este lugar me recordaba mucho al bachillerato. La gente siempre trataba de encajar en el grupo de los más populares, y eso me trajo muchos recuerdos. Ahí escuchaba cosas como: "¿A quién vas a ver este fin de semana? ¿Te invitaron a alguna fiesta importante? ¿Dónde compraste tu ropa? ¿Con quién almorzaste hoy?". ¿Te suena familiar? No me tomó mucho tiempo darme cuenta de que las *cliques* y el deseo de ser aceptado no desaparecen con la edad, sólo se hace más fácil reírse de ello. Y por eso escribí *CLIQUE* como una comedia, y no como un drama. A veces, la manera en la que actuamos es tan patética que resulta divertida.

¿Algún consejo para aspirantes a escritoras?

1. Escriban todos los días. No tiene que ser bueno, ni interesante, ni siquiera gramaticalmente correcto. Sólo escriban a diario. Eso mantiene la imaginación viva, y les garantizo que al final de cada sesión tendrán, por lo menos, una buena frase que podrán usar después.

2. Lean mucho. Y lean lo que se les antoje, no lo que *creen* que les tendría que gustar. Porque es muy probable que escriban algo del género que les gusta leer. Es importante saber cómo lo hacen los demás.

3. Lleven una libretita a todas partes. Si ven algo

divertido, anótenlo. Si conocen a alguien con un nombre genial, anótenlo. Si se les ocurre una idea interesante para una historia mientras van en el bus, anótenla. Así, la próxima vez que rebusquen en la mente detalles o ideas, las tendrán justo ahí, en su a-do-ra-ble libretita.

4. Si alguien les dice que nunca serán escritoras, pónganse sus botas más puntiagudas, respiren profundo y patéenlo en la espinilla. ¡Y escriban sobre *eso!*

¿Cuántos libros de CLIQUE habrá?

Mi compromiso con la editorial es escribir 11, o sea que todavía faltan unos cuantos por publicar... Pero si quieren más, escribiré más. En español se comenzará con los 4 primeros Y si ustedes quieren, vendrán más...

¿Vas a escribir otras cosas?

¡Claro! Siempre estoy pensando en ideas nuevas y originales. Mi siguiente novela es sobre quinceañeras en los campamentos de verano.

***¿Algún consejo para las chicas que van a escuelas con grupitos de amigas como el de* Clique?**

Para empezar, tienen que entender por qué las chicas malas son así de malas.

Son inseguras.

Sé que es difícil de creer, porque probablemente son bonitas, populares, extrovertidas y tienen mucho estilo. Pero créanme, es la verdad. Las chicas que desprecian a otras chicas lo hacen para tratar de sentirse mejor consigo mismas. Tengan eso en mente la próxima vez que un grupo de malvadas las trate como perdedoras. En realidad, ellas son las patéticas; simplemente, aléjense. Y, por favor, por favor, por favor, dejen de intentar que esas chicas las acepten. ¿De veras creen que van a ser más felices si son amigas de las más populares? ¡Para nada!

Busquen a alguien que comparta sus mismos intereses, y júntense con esas personas. Es mucho mejor tener un solo amigo verdadero que cien falsos. ¡Es un hecho!

¿Dónde puedo conseguir el brillo de labios Glossip Girl del que hablas en el Libro 4?

Lo siento, chicas, todo es inventado. Me encantaría que hubiera un "Club del brillo de labios para cada día" que me entregara a domicilio un nuevo sabor todas las mañanas. Pero mientras tanto, imagínense que ya existe. Y, de paso, ¿se les ocurre algún nuevo y delicioso sabor? ¡Ya se me acabaron las ideas!

Ensayo

la historia de mi vida

Por Lisi Harrison

Cada vez que alguien comienza una historia con la frase "Nací en...", los ojos se me cierran y trato de no bostezar. Así que haré mi mejor esfuerzo por encontrar una manera más interesante de decir que nací y me crié en Toronto, Canadá.

Y ya lo hice, ¿qué tal? :)

No fui a una escuela privada como la OCD, y tampoco formé parte de un grupito de "Massies" ricas y malvadas. Fui a una escuela hebrea hasta el noveno grado y luego pasé a Forest Hill Collegiate, una escuela de bachillerato pública. Muchos de los chicos en mi grado eran de familias que nadaban en dinero y se vestían con todo de Polo (aclaro que en esa época estaba MUY de moda, ¿okey?), mientras que yo tenía prácticamente prohibido vestirme con algo que no fuera fabricado por Kmart o Hanes. Probablemente habría podido usar algo de The Gap, pero en ese tiempo sus tiendas todavía no invadían Canadá. Mis papás se habían impuesto la misión, hasta donde les fuera posible, de mantenerme con los pies en la tierra y de que no me volviera una niña consentida. Y ahora, por mucho que me en-can-te la moda, nunca compro ropa o accesorios de marcas famosas. Tiendo a buscar cosas más originales. Es cierto que a veces acabo viéndome un poco rara, pero al menos no soy el clon de nadie. Soy la única rara de la fiesta.

La historia de mi vida (2)

Por Lisi Harrison

Cuando cumplí dieciocho años me fui a vivir a Montreal, para estudiar cine en la Universidad McGill. A los canadienses les gusta pensar que es la Harvard de Canadá, pero los estadounidenses siempre se ríen de eso, y me llaman "aspirante a intelectual". ¡Qué amables!, ¿verdad?

Bueno, la cosa es que salí de McGill después de dos años porque sabía que, en el fondo, lo que de verdad quería era ser escritora y no cineasta, y el programa de redacción creativa en esa universidad era bastante malo. Así que me cambié al Emerson College, en Boston, de donde me gradué en Bellas Artes con especialización en redacción creativa. ¡YUPI!

Y heme ahí, con mi diploma, tan sólo diez dólares en mi LeSportsac y sin saber qué hacer. Por suerte, mi amigo Lawrence (yo lo llamo Larry, aunque le choca que le digan así), que trabajaba en MTV en Nueva York, se compadeció de mí. Me ofreció un cargo buscando participantes para Lip Service, un programa de concursos. Todo lo que tenía que hacer era mudarme a Manhattan, al día siguiente.

¡Y lo hice!

Acabé trabajando en MTV durante doce años maravillosos. Al principio, me dieron los peores cargos, pero poco a poco ascendí a guionista titular y luego me nombraron directora de difusión. Fue entonces cuando mi trabajo se volvió realmente genial. Me tocaba crear y desarrollar nuevos programas para los canales del grupo, por ejemplo, *One Bad Trip* y *Room Raiders*. Y, créase o no, fue MTV y no la escuela lo que me inspiró para escribir THE CLIQUE. Había muchos empleados de MTV que hacían y se ponían lo que fuera con tal de ser aceptados por el grupo de los más populares. Me recordaba tanto de cómo era la vida en séptimo grado que tenía que escribir sobre eso. Y el resto es historia.

Escribí *The Clique* (Clique, en español) y *Best Friends for Never* (Mejores amigas, nunca jamás) mientras todavía trabajaba en MTV, por si acaso mi vida como escritora no resultaba. Y, en junio de 2004, decidí saltar al vacío, dejar mi trabajo y ser escritora de tiempo completo.

Ahora paso unas nueve horas al día escribiendo en mi apartamento en Nueva York. Al mismo tiempo, trato de impedir que Bee Bee, mi perrita chihuahua de pelo largo, deje de lamer la pantalla de mi computadora. Quizás deba sacarla ahora mismo para que haga sus necesidades...

¡Adiós!